LE MAL DE DOS
FLÉAU DU SIÈCLE

ALEXIS AMZIEV

LE MAL DE DOS FLÉAU DU SIÈCLE

Comment le prévenir et le guérir

Édition
Les Éditions de Mortagne
C. P. 116
Boucherville (Québec)
J4B 5E6

Diffusion
Tél.: (514) 641-2387
Téléc.: (514) 655-6092

Maquette intérieure
Transaction

Tous droits réservés
Les Éditions de Mortagne
© Copyright Ottawa 1998

Dépôt légal
Bibliothèque nationale du Canada
Bibliothèque nationale du Québec
Bibliothèque Nationale de France
1er trimestre 1998

ISBN: 2-89074-886-3

1 2 3 4 5   - 98 - 02 01 00 99 98

Ce livre se veut un ouvrage de référence et non un manuel d'auto-traitement. Il a été conçu pour vous donner une information aussi exacte et précise que possible, ayant pour but de vous aider à faire des choix éclairés concernant votre santé. Il est le reflet de l'opinion de l'auteur, et son éditeur est seulement prestataire de son impression et de sa mise en vente. Prenez conseil auprès de votre médecin traitant.

© Édi-Inter BV, Rotterdam, 1997, détenteur des droits internationaux.

IMPRIMÉ AU CANADA

Sommaire

voir pages 105-106

AVANT-PROPOS

"Qu'est-ce que je souffre du dos (ou des reins) !"

Combien de fois n'avons-nous pas entendu ce cri de douleur parmi nos proches ou nos relations - quand ce n'est pas nous-même qui nous en plaignons ?

À vrai dire, le "mal de dos" est certainement la pathologie la plus fréquente dans nos pays. En France, on estime que 3 habitants sur 4 en souffrent, épisodiquement ou de manière chronique. Il n'épargne personne :

- le jeune enfant comme le vénérable vieillard, en passant par les adultes dans la force de l'âge ;
- le professeur d'université, le paysan, le médecin (eh oui !), le sportif, le sédentaire invétéré...

Bref toutes les tranches d'âge, toutes les catégories sociales et professionnelles payent leur tribut, indistinctement.

Fléau universel, le mal de dos ne présente assurément pas la gravité de maladies telles que le cancer ou le SIDA. Mais, outre les souffrances qui atteignent parfois une intensité insupportable à faire se tordre de douleur les malheureux malades, ce fléau a un coût social et économique considérable : combien de milliers d'heures de travail sont perdues chaque année, et combien de dizaines de millions de francs sont dépensées en consultations médicales et en médicaments ou autres traitements, dont l'efficacité n'est jamais acquise d'avance ?

Une multitude de maux de dos différents

Il faut savoir, en effet, qu'il n'y a pas "un" mal de dos, mais une variété extraordinairement diverse de maux de dos qui présentent tous, cependant, un point commun : les patients se plaignent de douleurs plus ou moins aiguës, localisées dans une région bien délimitée, la colonne vertébrale - c'est-à-dire le dos -, et pouvant être ressenties en un point quelconque entre la nuque et le coccyx. À part ce caractère spécifique, les maux de dos sont très différents les uns des autres parce que leurs causes sont de nature fort différente.

Cherchez la cause

Or, ce qu'il faut toujours chercher à soigner et à guérir, ce ne sont évidemment pas les effets, en l'occurrence les douleurs dorsales, même si l'on peut tenter de les atténuer dans un premier temps. Ce qu'il convient de rechercher et de traiter, ce sont les causes :

> **Supprimez la cause, vous supprimerez les effets ou leur réapparition.**

La difficulté vient précisément de la grande diversité de ces causes. Certaines s'imposent de toute évidence : vous souffrez parce que vous avez fait un faux mouvement, vous êtes tombé lourdement, etc. Mais beaucoup d'autres, les plus nombreuses, ont une origine si éloignée de la colonne vertébrale que le lien de cause à effet ne vient pas spontanément à l'esprit. Il faut être un (bon) médecin pour faire le rapprochement !

La colonne vertébrale, "axe vital"

La colonne vertébrale forme un ensemble anatomique très complexe. Elle est constituée par les vertèbres, bien entendu, mais aussi par un remarquable système nerveux, la moelle épinière et ses ramifications qui innervent de très nombreux muscles, et par tout un édifice de soutien souple formé par de puissants muscles et de solides ligaments.

Ces 3 composants sont très étroitement interdépendants : toute atteinte en un point quelconque de l'un d'entre eux a automatiquement des répercussions sur l'ensemble tout entier.

Cependant, la colonne vertébrale ne peut être dissociée des autres régions corporelles et organes auxquels elle est étroitement liée. Cet "axe vital", comme on l'appelle parfois, se présente comme le mât du corps humain. Un mât qui repose sur une base, le bassin, lui-même soutenu par les 2 membres inférieurs ; un mât qui est consolidé par la cage thoracique (côtes et muscles associés) et par la puissante ceinture musculaire abdominale.

Là encore, toute atteinte de l'un de ces organes complémentaires a des répercussions sur la bonne tenue du mât. Sait-on, par exemple, que le port de chaussures mal adaptées, trop étroites, ne manque jamais de se traduire par des douleurs au dos ? La gêne produite par des chaussures étroites oblige en effet, certains muscles du dos à "compenser" le déséquilibre entraîné par cette gêne ; ces muscles travaillent alors dans des conditions anormales, contraires à leur fonctionnement physiologique ; ils se contractent excessivement, et c'est l'apparition de la douleur.

De même, un embonpoint un peu trop accentué au niveau de l'abdomen provoque une poussée vers l'avant ; cela entraîne une cambrure exagérée du dos au niveau des reins (lordose lombaire), qui se traduit par des douleurs plus ou moins intenses. Et ce ne sont là que 2 exemples parmi 1.000 !

En fait, on peut dire que toutes les pathologies humaines peuvent avoir, à un moment ou à un autre, des conséquences plus ou moins désagréables sur le dos, pour la simple raison que la colonne vertébrale est l'axe vital qui supporte tout le corps, tous les organes.

Comment l'homme a appris à l'utiliser

L'homme est le seul mammifère vivant qui soit bipède, capable de se mouvoir debout sur ses jambes. Il aura fallu des millions d'années d'évolution avant qu'il n'atteigne cette morphologie qui défie les lois de la pesanteur !

Que l'on songe à cette étonnante performance : le corps humain, sorte de tour de 1,75 m de haut, tient debout sur une minuscule plateforme, la plante des pieds, dont la surface est de quelques centimètres carrés seulement. Essayez de maintenir verticalement un objet quelconque comparable...

De plus, cette tour peut se déplacer des heures durant, sans jamais perdre son équilibre instable.

Cette extraordinaire aptitude est rendue possible par la conformation de la colonne vertébrale, avec son système structurel très complexe. La station érigée est, en outre, la cause directe du développement de l'intelligence humaine.

Débarrassée de l'horizontalité qui lui interdit de dépasser un certain poids et certaines dimensions, comme chez tous les autres mammifères quadrupèdes, la tête, c'est-à-dire le cerveau, a pu se développer, atteindre un poids et des dimensions considérables dès lors qu'elle s'est trouvée dans une position de repos confortable, posée au sommet d'un édifice stable qui l'a affranchie des contraintes de la gravitation.

La station érigée a aussi libéré les pattes antérieures, qui se sont transformées en bras, avec des mains préhensibles, capables d'exécuter des travaux très complexes, depuis la taille des silex pour se défendre contre les prédateurs jusqu'à la fabrication des ordinateurs, véritables auxiliaires du cerveau.

Comme on le constate, les Anciens voyaient juste quand ils appelaient la colonne vertébrale "arbre de vie" ou "fleuve sacré qui irrigue tout le corps".

Mais c'est un axe fragile

Mais la possession de cette remarquable aptitude qu'est la station debout comporte une contrepartie : la relative fragilité du système de la colonne vertébrale ; fragilité rendue plus préoccupante par les conditions de vie dans lesquelles évolue l'homme moderne, citadin et sédentaire aux activités physiques restreintes, à l'alimentation souvent dénaturée, aux habitudes et aux attitudes parfois déplorables sinon néfastes pour sa santé générale.

Pourtant, de modestes modifications du comportement peuvent contribuer à éliminer tout mal de dos, toute déformation préjudiciable de la colonne vertébrale.

Distinguer les vraies maladies des maladies bénignes

Il faut savoir, en effet, que sous le terme générique de "mal de dos" on regroupe des pathologies qui n'ont rien à voir les unes avec les autres.

On doit d'abord distinguer les "vraies" maladies que sont les arthrites et les arthroses (elles-mêmes très différentes de nature) : ces affections ne représentent que 8 à 10 % des maux de dos et elles exigent des traitements spéciaux. Nous ne les étudierons pas dans cet ouvrage mais nous engageons les lecteurs intéressés à se reporter à l'ouvrage du même auteur et chez le même éditeur : *"Vaincre les arthrites et les arthroses"*, qui leur fournira une information complète et les conseils appropriés.

90 à 92 % des autres maux de dos sont des pathologies presque toujours bénignes, dont plus des 3/4 peuvent être soignées et guéries par le malade lui-même et, mieux encore, être prévenues grâce à une hygiène de vie harmonieuse que l'on doit apprendre dès l'enfance.

Apprenez votre colonne pour prévenir le mal de dos

Après tout, on apprend bien aux enfants à se brosser les dents pour prévenir caries et autres troubles dentaires. Il est tout aussi facile de leur apprendre à prendre soin de leur colonne vertébrale. Traitements et prévention des maux de dos les plus fréquents sont l'objet précis de ce livre.

Pour agir efficacement sur un phénomène quelconque, il est impératif de le connaître, au moins dans ses grandes lignes.

– C'est pourquoi, nous vous recommandons avec la plus vive insistance de commencer par lire attentivement la **1ère partie** de ce livre. Nous vous y exposons dans un langage clair, simple, accessible à tout un chacun, les données fondamentales relatives à la colonne vertébrale, à sa morphologie (comment cela se présente), à sa physiologie (comment cela fonctionne).

– Dans la **2è partie**, nous étudierons la pathologie de la colonne vertébrale, les formes principales du mal de dos et leurs causes (comment et pourquoi la colonne ne fonctionne plus normalement).

– Dans la **3è partie**, vous trouverez des conseils pratiques qui vous permettront de prévenir (et parfois de guérir du même coup) les maux de dos et d'apprendre à vos enfants à se prémunir contre ce fléau ; n'oubliez pas que l'on peut apprendre à tout âge, qu'il n'est jamais trop tard pour bien faire... et appliquez à vous-même ce précepte de bon sens.

— Enfin, dans la **4è partie**, nous vous détaillerons tous les traitements actuels des maux de dos, depuis les plus simples et faciles à mettre en œuvre soi-même, jusqu'aux traitements médicamenteux et chirurgicaux nécessaires dans certains cas - heureusement rares -, en passant par les techniques "douces" comme les massages, par exemple.

De très nombreux schémas et croquis illustrent ces méthodes thérapeutiques et vous aideront à les utiliser avec le maximum de chances de réussite.

Quoi qu'il en soit, retenez bien le fait suivant : dans l'immense majorité des situations, il est possible de se guérir ou de se faire soigner durablement du mal de dos. Ce fléau n'est pas une fatalité : il résulte presque toujours de mauvaises habitudes ou de comportements inopportuns dans la vie quotidienne. À vous de prendre vos responsabiltés si vous voulez retrouver la joie de vivre !

1ère PARTIE

*LA COLONNE VERTÉBRALE :
UN ÉDIFICE VIVANT
EXTRAORDINAIRE*

L e corps humain n'aurait pas sa forme sans l'architecture dure que constitue le squelette osseux auquel s'attachent tous les organes et les muscles. Formé d'os de conformation et de structure très diverses, il représente environ 25 % du poids total, soit 17 kg pour un adulte pesant 70 kg.

La constitution du squelette

Les os sont constitués principalement de calcium (10 kg sur les 17), de phosphore (7 kg) et de quelques grammes seulement de sels minéraux et d'oligo-éléments ; ils contiennent en outre de l'eau (30 %).

L'os est un tissu vivant : il est en permanence le siège d'un intense métabolisme au cours duquel certaines cellules vieillies sont détruites (ostéolyse) et remplacées par de nouvelles cellules (ostéogénèse). Ce métabolisme aboutit au remplacement de 10 % des cellules osseuses chaque année, de sorte que tous les 10 ans, le squelette tout entier est renouvelé - et ce processus se poursuit indéfiniment jusqu'à la mort du sujet.

Le bon déroulement du métabolisme de reconstitution osseuse dépend de plusieurs facteurs, principalement :

– de l'apport en minéraux par l'alimentation générale (y compris l'eau) : un apport insuffisant conduit à la formation de cellules osseuses défectueuses (déminéralisation) ;

– de la circulation sanguine : une mauvaise circulation prive la cellule en voie de formation d'éléments nutritifs essentiels ;

– de l'activité physique : un manque d'activité entraîne une mauvaise circulation et donc, une mauvaise irrigation des os ;

– du bon fonctionnement du tube digestif : l'intestin doit pouvoir assimiler correctement les nutriments indispensables apportés par l'alimentation, et les organes d'excrétion (reins, côlon, surtout) doivent pouvoir empêcher une fuite pathologique des nutriments.

Outre son rôle de soutien et de support des tissus mous et des organes, l'os participe à la production des globules rouges et des globules blancs, et sert de réserve à l'organisme pour stocker des éléments minéraux indispensables (calcium, phosphore, magnésium, sodium, silice, oligo-éléments) qui peuvent être à volonté mobilisés en cas de carence alimentaire transitoire ou de besoin exceptionnel.

Naturellement, ces stocks ne sont pas inépuisables : si la carence alimentaire dure trop longtemps, on assiste à une déminéralisation de l'os, aux conséquences toujours redoutables.

Le squelette humain comporte 206 os de tailles et de formes très variées. La colonne vertébrale est constituée de 33 pièces osseuses, comprenant 7 vertèbres cervicales, 12 vertèbres dorsales, 5 vertèbres lombaires, le sacrum formé de 5 vertèbres soudées en une seule pièce à l'âge adulte, et du coccyx formé de 4 vertèbres soudées.

Parmi ces 33 vertèbres, il n'en est pas 2 qui soient exactement identiques ! Mais certaines se ressemblent et forment des familles de vertèbres (cervicales, dorsales, lombaires, sacrées, coccygiennes). Cependant, à l'exception des sacrées et des coccygiennes, toutes les vertèbres répondent à un même schéma de base que nous allons décrire en détail (voir les schémas pages 25 et 35).

Les vertèbres

Une vertèbre-type est une pièce osseuse d'un seul tenant, qui comprend plusieurs parties distinctes :

– Une partie antérieure, située vers l'avant, en direction des viscères ou, si vous préfèrez, vers l'intérieur du corps : c'est le corps vertébral proprement dit, élément de base, "brique" fondamentale de la colonne vertébrale.

Le corps vertébral ressemble à une portion de cylindre osseux plein, solide ; c'est en son milieu, constitué d'os spongieux contenant de la moelle rouge, que s'élaborent globules blancs et globules rouges. Le corps vertébral est posé sur le corps vertébral de la vertèbre

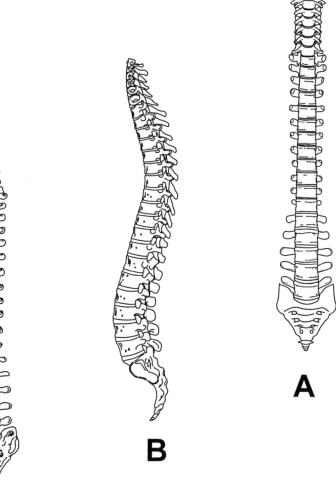

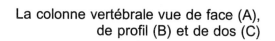

La colonne vertébrale vue de face (A),
de profil (B) et de dos (C)

du dessous (vertèbre sous-jacente) et supporte le corps vertébral de la vertèbre du dessus (vertèbre sus-jacente). Les corps vertébraux sont séparés les uns des autres par une grosse lame fibro-cartilagineuse, le disque intervertébral, sur lequel nous reviendrons plus loin.

— Une partie postérieure, appelée arc vertébral postérieur : constitué en demi-cercle ou plus exactement en fer à cheval osseux, il délimite avec le corps vertébral le trou vertébral par où passe la moelle épinière. Toutes les vertèbres, jusqu'à la 2è lombaire, comportent ce trou à peu près en leur milieu, de sorte que la moelle épinière y est logée et bien protégée sans discontinuité depuis sa naissance à la sortie du crâne (bulbe rachidien) jusqu'à sa terminaison en "queue de cheval", au niveau de la 2è vertèbre lombaire.

Le trou vertébral est également appelé canal rachidien, ou canal vertébral ou encore canal médullaire. L'arc vertébral comporte donc, sur sa face antérieure et sur toute sa hauteur, ce creux formant une partie de la paroi du canal rachidien, l'autre partie étant formée par la face postérieure du corps vertébral en vis-à-vis.

L'arc vertébral comprend d'autres éléments : 2 pédicules et 2 lames, à droite et à gauche, qui délimitent avec les pédicules de la vertèbre adjacente et le disque, le "trou de conjugaison" par où émergent les racines rachidiennes ainsi que les vaisseaux et les nerfs végétatifs qui leur sont associés. Il porte latéralement 2 apophyses transverses dites

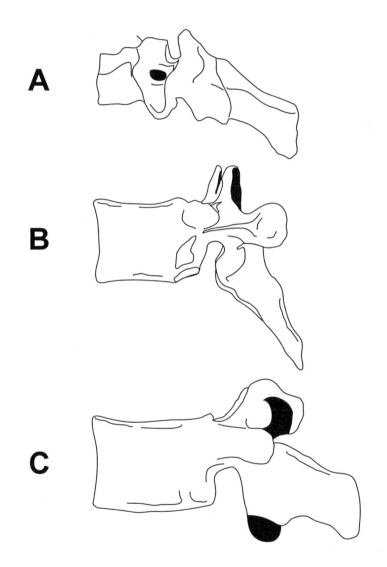

Les 3 types de vertèbres
A : cervicale ; B : dorsale ; C : lombaire

articulaires, sortes d'excroissances ou de petites colonnes osseuses, à droite et à gauche, qui se terminent par des facettes articulaires.

Chaque vertèbre possède ainsi 4 facettes articulaires, 2 supérieures, à droite et à gauche, et 2 inférieures, à droite et à gauche. Ces facettes s'articulent exactement avec leurs homologues de la vertèbre sus-jacente (au-dessus) et de la vertèbre sous-jacente (au-dessous) : ce sont ces articulations qui permettent, guident et limitent les mouvements de rotation, d'inclinaison latérale, de flexion et d'extension de la colonne vertébrale. En principe, elles ne supportent aucune charge, ce rôle étant normalement dévolu exclusivement au disque intervétébral.

Enfin, on trouve à l'arrière de l'arc vertébral une apophyse épineuse ou épine vertébrale : c'est elle qui fait saillie et que l'on voit (chez les personnes un peu maigres) ou que l'on sent sous la peau en palpant avec les doigts ; la succession des apophyses épineuses de toutes les vertèbres constitue l'épine dorsale.

Telle est donc schématiquement la morphologie d'une vertèbre-type. Cependant, comme on l'a dit plus haut, il y a des différences importantes entre les vertèbres, au point qu'il n'y en pas 2 rigoureusement identiques. Toutefois, certaines sont très proches morphologiquement, et forment ce que les spécialistes appellent des familles de vertèbres.

On en distingue 3 :

Les 7 vertèbres cervicales

Symbolisées par le C, elles sont au nombre de 7 (C1, C2, C3, C4, C5, C6, C7). Elles s'étagent de la base du crâne jusqu'au haut de la cage thoracique.

Leur principale caractéristique, outre une apparente fragilité comparée aux vertèbres plus lourdes du bas du dos, se traduit par une très grande mobilité qui permet au regard d'ajuster ses visées dans toutes les directions (sauf en arrière) et dans toutes les positions du corps. Leur rôle essentiel est de supporter le poids de la tête et du cerveau (de 4,5 à 5 kg).

Celle qui soutient la tête

La première vertèbre cervicale, C1, est appelée Atlas, du nom du fameux géant de la mythologie grecque qui était censé porter la Terre sur ses épaules. Et en effet, la C1, sorte d'anneau osseux de 5 cm de diamètre et d'une section ne dépassant pas 5 mm, reçoit directement l'occiput, c'est-à-dire la partie arrière de la tête, qui s'y encastre par 2 petits éperons dans 2 facettes minuscules de la taille d'un ongle, ménagées de part et d'autre de la partie supérieure de la vertèbre.

Entre l'occiput et l'atlas, point de disque amortisseur ni d'articulation classique : les 5 kg de la boîte crânienne pèsent directement sur la vertèbre ! La fragilité de celle-ci n'est donc qu'apparente. L'atlas repose à son tour sur C2 ou axis (du latin axis : axe) sans aucun élément morphologique intermédiaire.

Celle qui protège le début de votre moelle épinière

L'axis est pourvu d'une apophyse verticale

dite odontoïde, sorte de dent formant un véritable axe autour duquel peut pivoter aisément l'ensemble formé par la tête et l'atlas. Ce qui a fait dire au grand rhumatologue français Robert Maigne que l'atlas et l'axis formaient *"un miracle de précision mécanique..., une petite merveille"* !

L'autre rôle, vital, de l'ensemble atlas-axis est de protéger le début de la moelle épinière, à sa sortie du crâne. Les conséquences souvent fatales du "coup du lapin" illustrent à contrario toute l'importance de ce dispositif.

L'ensemble occiput-atlas-axis constitue la charnière occipito-cervicale, douée d'une très grande mobilité.

Les vertèbres cervicales possèdent une autre caractéristique : elles sont pourvues (sauf C7) au centre de leur apophyse transverse, d'un trou, le trou transversaire, de chaque côté (à droite et à gauche), qui donne passage aux artères vertébrales qui assurent l'irrigation de la partie postérieure du cerveau, aux veines et aux nerfs sympathiques.

Celles qui forment une courbure normale

Les vertèbres C3, C4, C5 et C6 sont superposées de manière à former une courbure physiologique, c'est-à-dire normale, dite lordose cervicale. L'ensemble des vertèbres cervicales constitue la colonne cervicale, caractérisée par cette courbure qui joue un rôle très important.

Toute déformation finit par se traduire, à la longue, par des atteintes plus ou moins sévères : ce sont les fameuses arthroses cervicales, si fréquentes et gênantes, quand elles ne handicapent pas à vie les malheureux patients.

Celle qui fait la transition avec les dorsales

La C7 a une morphologie très particulière : c'est une vertèbre de transition. Dans sa partie supérieure, elle ressemble à toutes les autres vertébres cervicales ; mais sa partie inférieure appartient déjà à la morphologie des vertèbres dorsales. Elle s'articule, en effet, en bas avec la première vertèbre dorsale, D1, avec laquelle elle constitue une zone stratégique : la charnière cervico-dorsale, siège de nombreux troubles fonctionnels, du fait que la colonne cervicale, au-dessus, est d'une très grande mobilité, tandis que la colonne dorsale, au-dessous, l'est beaucoup moins, d'où des tensions permanentes, voire des frictions.

La C7 possède une apophyse épineuse plus saillante que celle des autres cervicales : à partir d'un certain âge, ou à la suite d'anomalies des courbures, cette apophyse, recouverte d'un épais tissu de graisse, forme une proéminence dite "bosse de bison".

Les 12 vertèbres dorsales

Au nombre de 12 (D1, D2, D3, D4, D5, D6, D7, D8, D9, D10, D11, D12), les vertèbres dorsales forment la colonne dorsale, intermédiaire entre la colonne cervicale, en amont, et la colonne lombaire, en aval. Elle présente un renflement vers l'arrière au niveau de D4 à D8, puis s'incurve vers l'avant de D9 à D12 pour former avec les lombaires le "creux des reins".

Les vertèbres dorsales présentent des caractères spécifiques. Outre leur participation à la rigidité de la colonne vertébrale, elles assurent un rôle essentiel de protection des organes de la cavité thoracique (cœur, poumons).

Elles s'articulent (sauf D9 et D10) avec les côtes par 2 articulations chacune, à droite et à gauche. La colonne dorsale est beaucoup moins mobile que la colonne cervicale, mais reste libre : elle se fléchit vers l'avant, se redresse, pivote autour de l'axe du corps, s'incline latéralement vers la droite ou la gauche.

Les caractéristiques des dorsales

Toutefois, ces divers mouvements ont une amplitude inférieure à ceux de la colonne cervicale, du fait de la présence des côtes qui constitue une sorte de butée, et du fait que les disques intervertébraux dorsaux sont beaucoup plus minces. On notera :

– Que D1 présente une morphologie comparable à celle de C7, notamment par l'existence d'une apophyse épineuse longue et proéminente au point que l'on peut les confondre parfois. Pour lever le doute, il suffit de faire pivoter la tête du sujet : C7 suit le mouvement dans toute son amplitude, tandis que D1 "bouge" très peu, comparativement. Fréquemment, la "bosse de bison" correspond à une double déformation de C7 et de D1 (et pas seulement de C7).

– Que les vertèbres D2 à D10 sont des dorsales typiques, présentant un corps vertébral plus volumineux que celui des cervicales, et en forme de haricot. Le canal rachidien qu'elles délimitent en leur centre est presque parfaitement rond ; ce sont elles qui s'articulent avec les côtes.

- Que D11 possède déjà des caractères d'une vertèbre lombaire.

- Que D12, vertèbre de transition comme C7, possède les caractères physiques des dorsales dans sa partie supérieure en contact avec D11, et ceux des lombaires dans sa partie inférieure en contact avec L1.

D12 et L1 constituent la charnière dorso-lombaire, d'une grande fragilité : c'est à son niveau que se produisent la plupart des fractures vertébrales accidentelles et leurs conséquences parfois dramatiques (compression voire section de la moelle épinière). C'est donc une région qui exige une attention toute particulière pour la maintenir dans un bon état de fonctionnement.

Les 5 vertèbres lombaires

Ce sont les vertèbres les plus solides, les plus volumineuses, d'aspect massif, et pourvues d'une épaisse apophyse épineuse, de forme quadrangulaire.

Elles sont au nombre de 5 (L1, L2, L3, L4, L5), et constituent la colonne lombaire. Celle-ci est beaucoup moins mobile que la colonne dorsale : si elle a une capacité à fléchir vers l'avant et à se redresser vers l'arrière, sa flexion latérale est fort limitée et le mouvement de rotation est pratiquement nul.

L5, la plus grosse des lombaires

Elle forme avec la partie supérieure du sacrum la charnière lombo-sacrée. En effet, ses articulations inférieures, disposées sur un plan frontal, s'appuient sur les articulations apophy-saires supérieures du sacrum. Ces articulations jouent un rôle essentiel, et la moindre anomalie à leur niveau entraîne des perturbations très importantes qui retentissent sur l'ensemble de la colonne vertébrale.

On a observé que L5 est fréquemment le siège de malformations congénitales (spina-bifida, hémisacralisation, spondylolyse).

Le sacrum

Le sacrum se présente, chez l'adulte, comme une pièce osseuse triangulaire d'un seul tenant, résultant de la soudure des 5 vertèbres sacrées distinctes chez le fœtus et le tout jeune enfant.

Appelé aussi os sacré, le sacrum constitue le véritable socle sur lequel repose toute la colonne vertébrale. L'os sacré résulte de la fusion complète des corps vertébraux, des arcs postérieurs et des apophyses transverses des 5 vertèbres initiales. Cependant, le canal rachidien demeure tout du long, et livre passage aux racines des nerfs rachidiens terminaux.

Le sacrum s'articule avec l'iliaque par 2 articulations latérales, à droite et à gauche. L'édifice vertébral présente ainsi une double assise :

- une première, relativement étroite, constituée par le sacrum qui reçoit directement tout le poids de la colonne vertébrale ;
- une deuxième, nettement plus large, formée par l'ensemble sacrum-bassin.

De l'équilibre de ce dernier dépend, pour une très grande part, le bon fonctionnement de la colonne vertébrale, du système nerveux, de la plupart des organes, et pour tout dire de l'ensemble de l'organisme. Les anomalies qui s'y produisent (accidentellement ou par voie congénitale) ont toujours des répercussions sérieuses sur l'état général de l'individu.

Le coccyx   Articulé avec le sacrum dont il constitue la terminaison, en quelque sorte, le coccyx est un os de forme triangulaire comme le sacrum. Il est également constituée par 4 vertèbres soudées.

N'ayant aucun rôle dans l'économie générale de la charpente vertébrale, on considère qu'il est peut-être soit le résidu, soit un "brouillon" d'un appendice caudal auquel la nature aurait renoncé.

On notera toutefois que sa mobilité intervient dans le déroulement de l'accouchement. Certaines césariennes doivent être pratiquées parce que l'articulation sacro-coccygienne est bloquée ou abolie.

Le disque intervertébral

L'empilage les unes sur les autres des vertèbres qui constituent la colonne vertébrale se traduirait par l'écrasement, à très court terme, de celles qui sont situées le plus bas ; la station érigée et tout mouvement serait simplement impossible. Aussi, la nature nous a pourvus d'une pièce anatomique essentielle qui permet de remédier à ce problème autrement insoluble : le disque intervertébral.

Le disque intervertébral joue un double rôle :

– Il fonctionne exactement comme une rotule, ce qui rend possible le mouvement d'une vertèbre à l'autre, et donne la souplesse néces-saire à l'ensemble de la colonne vertébrale ;

– Il agit comme un amortisseur ; c'est lui qui "encaisse" toutes les pressions, les chocs, les heurts, les trépidations, les à-coups que subit la colonne. Pour avoir une petite idée des in-croyables pressions qui s'exercent sur la colonne, songez que lorsque vous vous pen-chez simplement en avant, sans aucune charge dans vos mains, le disque interverté-bral situé entre les lombaires L4 et L5 reçoit une pression d'environ 60 kg au cm^2 ! La pression atteint des niveaux phénoménaux dans certaines circonstances : ainsi, quand un haltérophile soulève du sol un poids de 80 kg (et c'est loin d'être un record !), en gardant les jambes sans flexion, la pression qui s'exerce sur le même disque entre L4 et L5 atteint 800 kg au cm^2...

Structure anatomique du disque intervertébral

Pour pouvoir résister et absorber de telles pressions, il a fallu que le disque possède une structure anatomique très particulière, comme nous allons le voir.

Observons tout d'abord que si l'on empilait tous les disques les uns sur les autres, ils repré-senteraient 25 % de la hauteur totale de la co-lonne vertébrale, ce qui est considérable et souligne l'importance des disques en tant que matériaux de l'édifice.

D'autre part, chaque vertèbre est séparée de la vertèbre sus-jacente et de la sous-jacente par un disque, à l'exception de l'atlas et de l'axis : l'atlas est en contact avec l'occiput par l'inter-

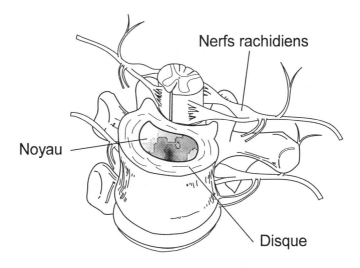

Nerfs rachidiens

Noyau

Disque

Une vertèbre normale

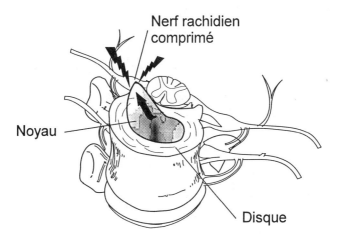

Nerf rachidien comprimé

Noyau

Disque

Une hernie discale

médiaire d'une simple articulation ; de même, atlas et axis s'articulent par une articulation simple, sans disque.

Chaque disque s'intercale entre les corps vertébraux (la partie antérieure pleine d'une vertèbre) de 2 vertèbres adjacentes. Il épouse très exactement la forme de la face de contact de chaque corps vertébral, même lorsqu'il s'agit d'une vertèbre de transition (possédant un corps vertébral dont la face supérieure appartient à une famille de vertèbres, et la face inférieure à une autre famille, comme par exemple C7, D1, D12, L1...).

Le disque épouse également le bord, plus ou moins arrondi suivant l'étage de la colonne, qui délimite le canal rachidien sur toute sa longueur : on imagine les conséquences désatreuses qui résulteraient d'une excroissance du disque qui lèserait la moelle épinière ; cela arrive accidentellement (glissement d'un disque, par exemple), et la simple compression de la moelle peut se traduire par des troubles graves.

Le noyau et l'anneau fibreux

Le disque intervertébral se compose de 2 parties : le noyau ou nucleus pulposus et l'anneau fibreux ou annulus fibrosus.

– Le noyau se présente, grossièrement, sous la forme d'une bille très légèrement aplatie de 1 à 1,5 cm de diamètre. Il est constitué d'une substance gélatineuse, ferme, incompressible et déformable. On pourrait le comparer, pour s'en faire une idée, à un ballonnet en caoutchouc très souple et très solide, rempli d'eau : quand on appuie dessus, il peut changer de forme, mais son volume reste constant.

Le noyau renferme 88 % d'eau. Il fonctionne comme un répartiteur des pressions qu'il subit : en effet, lorsqu'un poids s'exerce sur le noyau, celui-ci se déforme et communique, par des pressions latérales à l'anneau fibreux qui l'entoure, l'intégralité de ce poids. Il est totalement dépourvu de vaisseaux et de nerfs ; son hydratation est assurée par imbibition à travers de minuscules pores au contact des faces des vertèbres.

Les énormes pressions qu'il reçoit ne se traduisent jamais par des douleurs - les sensations douloureuses siègent au niveau de la capsule conjonctive entourant le disque et contenant les fibres sensitives du nerf sinuvertébral - ni par des hémorragies à son niveau, du fait de l'absence de vascularisation et d'innervation.

Le noyau est "contenu" en quelque sorte dans une logette formée par un plafond (correspondant au plateau inférieur du corps vertébral de la vertèbre du dessus), un plancher (correspondant au plateau supérieur du corps vertébral de la vertèbre du dessous), et par "des murs" constitués par l'anneau qui l'entoure latéralement.

— L'anneau fibreux a une morphologie remarquablement adaptée à sa fonction, qui est d'amortir les chocs et les pressions. Il se présente un peu comme une tranche d'oignon coupée horizontalement : on voit des lamelles disposées de manière concentrique.

Chaque lamelle est constituée de 65 % d'eau et de fibres de collagène très résistantes. Ces fibres sont disposées obliquement par rapport à l'axe du noyau. De plus, l'inclinaison des fibres s'inverse d'une lamelle à l'autre, ce qui augmente encore la résistance de l'ensemble : lorsque les fibres d'une lamelle se relâchent, les fibres des lamelles adjacentes se tendent. Ainsi, une résistance parfaitement répartie préserve en permanence le noyau et encaisse chocs et pressions (dans des limites tolérables), sans inconvénient.

Ajoutons, pour compléter cette description (voir aussi les schémas pages 25 et 35), que le disque est recouvert sur sa partie extérieure par une gaine formée par de très puissants ligaments qui lient les vertèbres entre elles.

L'importance des disques intervertébraux

La structure des disques intervertébraux les préserve en principe de toute atteinte ou détérioration. Mais ils peuvent subir diverses altérations : avec l'âge, leur teneur en eau diminue et passe de 88 % chez l'adolescent et le jeune adulte à 70 % après la soixantaine, ce qui se traduit par un raccourcissement de la taille pouvant atteindre plusieurs centimètres. La sédentarité excessive, le manque d'exercices physiques, les traumatismes directs ou indirects, la répétition de postures déviantes, les efforts violents, etc., sont aussi des causes importantes de détérioration des disques.

De cette description très sommaire, on doit déjà tirer quelques leçons. À commencer par l'importance et la vigilance que l'on doit accorder aux disques intervertébraux dans la prévention et le traitement du mal de dos. Subissant des pressions énormes en permanence, même lorsque l'on est couché, les disques sont des maillons faibles de la colonne vertébrale, surtout ceux qui se situent dans les zones charnières entre 2 segments ou colonnes. Or, la détérioration d'un disque entraîne toujours des phénomènes de compensation musculaire, c'est-à-dire que ce seront des muscles qui vont travailler comme amortisseurs en lieu et place des disques ; n'étant pas conçus pour cette tâche, ils se fatigueront vite, et les douleurs apparaîtront inéluctablement.

Le simple fait de rectifier des postures, des attitudes mauvaises mais habituelles, qui sollicitent une portion - toujours la même - d'un ou de plusieurs disques (par exemple, se tenir la tête penchée à droite ou à gauche), peut contribuer à éliminer une partie non négligeable des maux de dos.

Nous reviendrons en détail sur cet aspect essentiel de la prévention et du traitement des douleurs dorsales.

Les ligaments

On peut considérer les vertèbres et les disques intervertébraux comme les pièces "mécaniques" de l'édifice vertébral. Le maintien en place et la solidarisation de ces pièces pour former l'unité fonctionnelle qu'est la colonne, sont assurés par tout un système de haubans, les ligaments, d'une étonnante efficacité - les mouvements de l'ensemble étant soumis aux muscles dorsaux et associés, sur lesquels nous reviendrons plus loin.

Le rôle des ligaments est triple

- rigidifier et équilibrer la colonne vertébrale, tout en lui permettant une certaine souplesse de mouvement ;
- soulager en partie les disques, en agissant un peu comme des contrepoids aux pressions qu'ils subissent, tout en s'opposant aux mouvements extrêmes de la colonne ;
- participer à la protection de la précieuse moelle épinière, surtout dans les régions intervertébrales où elle est particulièrement vulnérable.

Les 6 sortes de ligaments vertébraux

Aussi, les ligaments vertébraux sont-ils constitués de fibres à la fois élastiques et extrêmement résistantes aux chocs et aux arrachements. On en distingue plusieurs :

- Le ligament vertébral commun antérieur : situé en avant des corps vertébraux, donc du côté interne de la colonne, il s'étend sur toute la longueur de celle-ci, depuis la base du crâne jusqu'au sacrum ; non seulement il solidarise toutes les vertèbres en les maintenant solidement en place, mais de plus, il renforce les disques et constitue un rempart contre les hernies discales.
- Le ligament vertébral commun postérieur : situé sur la face arrière des corps vertébraux, il protège efficacement la partie la plus fragile

des disques à hauteur desquels il s'épaissit, constituant ainsi un véritable bouclier. Le glissement d'un disque vers l'extérieur, c'est-à-dire vers la moelle épinière, constituerait, en effet, un accident majeur aux conséquences toujours dangereuses. Ce ligament, plus mince que le précédent, prend naissance sur l'occiput et se termine sur le sacrum.

Ces deux ligaments, commun antérieur et commun postérieur, agissent comme des tendeurs de toute la colonne vertébrale : lorsque l'un se contracte, l'autre se détend - et cela dans des limites qui interdisent tout mouvement excessivement ample.

– Le ligament jaune, d'une résistance exceptionnelle, est situé en bordure du canal rachidien, sur la paroi arrière de celui-ci. Tout en solidarisant les vertèbres à ce niveau, il assure la protection de la moelle épinière sur cette face du canal rachidien.

– Les ligaments interépineux relient les apophyses épineuses entre elles, et remplissent les intervalles. Leur rôle dans la stabilité de toute la colonne vertébrale est très important.

– Le ligament surépineux renforce les ligaments interépineux au niveau du dos et des lombes, contribuant ainsi à l'équilibration de l'ensemble.

– Enfin, de petits mais non moins solides ligaments, dits ligaments intertransversaires, complètent cette structure fort complexe : ils relient latéralement les apophyses transverses.

Véritable bandage ou haubanage, le système ligamentaire de la colonne vertébrale lui assure tout à la fois souplesse et résistance à tous les efforts. Les ligaments sont des éléments essentiels de l'équilibration de tout l'ensemble.

Les muscles de la colonne vertébrale

La plupart des douleurs du dos sont localisées dans les muscles et leurs insertions sur les pièces osseuses. Aussi convient-il d'en connaître au moins les plus importants, ceux qui sont le plus souvent sollicités et donc les plus vulnérables. Leur rôle dans le maintien de la station érigée et dans son équilibration est tout à fait fondamental. Ce sont eux qui, sur commande du cerveau relayé par la moelle épinière, assurent tous les mouvements du corps.

Les muscles profonds ou lisses et les muscles superficiels ou striés

Il faut commencer par faire une première distinction entre les muscles profonds et les muscles superficiels. Le vrai travail de maintien de la station debout est presque exclusivement dévolu aux premiers, les seconds servant surtout aux tâches de levage et autres efforts liés à la fonction de relation.

Ceci a pour corollaire 2 faits :

– La grosseur et la puissance de la masse musculaire superficielle ne sont nullement une garantie contre les maux de dos ordinaires. Le public non averti s'étonne toujours de ce que de solides athlètes, apparemment taillés dans le granit, puissent se plaindre d'un vulgaire mal de dos comme le commun des mortels ! En fait, rien de plus normal : le développement spectaculaire des muscles superficiels, ceux que l'on voit à l'œil nu, se fait souvent au détriment de la musculature profonde qui se retrouve "étouffée" en quelque sorte, lorsque l'entraînement est mal conçu ou déséquilibré.

— Dans toute rééducation de la colonne vertébrale, on doit toujours s'intéresser prioritairement au renforcement de la musculature profonde par des exercices appropriés. Ce n'est qu'une fois ce but atteint que l'on pourra songer à faire travailler la musculature superficielle qui confère, il est vrai, un modelé harmonieux, une certaine esthétique au corps, propice aux exhibitions à la piscine ou sur les plages !

À la différence des muscles lisses, qui constituent l'armature solide des organes creux (comme le cœur ou le tube digestif, par exemple) et dépendent fonctionnellement du système nerveux autonome (sympathique et parasympathique), les muscles striés, qui correspondent à l'idée que l'on se fait habituellement du mot muscle (comme les biceps ou les pectoraux, par exemple), sont sous le contrôle permanent du système nerveux central et donc, de la volonté.

Ces muscles sont également appelés muscles squelettiques. En effet, ils sont toujours fixés aux os du squelette par au moins 2 (et souvent plusieurs) tendons : un en avant, un autre en arrière de la masse musculaire, qui occupe ainsi l'espace intermédiaire.

Les tendons

Les tendons sont des lames blanches, pratiquement inextensibles au voisinage de l'os d'insertion, et légèrement élastiques au voisinage du muscle. Ils jouent le rôle d'ancres solidement fixées, presque immobiles. Leur arrachement accidentel, extrêmement douloureux, rend inopérant ou même inerte le muscle concerné.

Par sa structure, celui-ci fonctionne comme un élastique ou un ressort qui serait capable de se tendre, de se détendre et de se contracter. Ces états de tension, de détente ou de contraction se traduisent, pour le bras par exemple, par l'extension, la position de repos ou le fléchissement de ce membre.

Structure et fonctionnement des muscles striés

Tous les muscles striés, qu'ils soient profonds ou superficiels, ont la même structure interne. Ils sont constitués de fibres musculaires d'une épaisseur d'un dixième de millimètre environ et d'une longueur pouvant atteindre plusieurs centimètres. Les fibres sont elles-mêmes formées de filaments d'actine et de filaments de myosine, éléments constitutifs fondamentaux.

Chaque fibre musculaire est reliée à une fibre nerveuse qui se ramifie en éventail dans son sein. L'ensemble formé par la fibre musculaire et la fibre nerveuse constitue une plaque motrice, dont le rôle est essentiel dans l'activité musculaire. Ce sont, en effet, les impulsions électriques transmises par le cerveau ou par le système réflexe qui déclenchent la contraction ou la décontraction des fibres musculaires, et donc du muscle tout entier, induisant le mouvement du membre concerné.

Extension et contraction : comment cela fonctionne-t-il ?

La contraction musculaire consiste en un raccourcissement de la longueur des fibres par rapport à leur longueur normale à l'état de repos. Ce raccourcissement entraîne un rapprochement des 2 points de fixation tendineux du muscle : c'est ce que l'on appelle la force contractile qui permet, par exemple, de ramener l'avant-bras sur le bras ou le fléchissement du tronc en avant, quand on se penche.

La position de repos est en réalité un état de faible tension dynamique, en ce sens que le muscle présente une activité contractile infime mais jamais nulle.

La position d'extension est caractérisée par un allongement de la longueur normale du muscle : les fibres musculaires du muscle en extension n'offrent pas de résistance à la force de traction du muscle antagoniste qui, lui, est à cet instant-là, en état de contraction.

L'extension d'un muscle résulte donc toujours de l'état de contraction d'un muscle opposé. Aucun muscle ne peut de lui-même provoquer sa propre extension. Cela signifie que les mouvements du corps ne sont possibles que grâce au jeu d'un système complexe de muscles "agonistes" et antagonistes, chaque muscle étant tour à tour, selon les circonstances, agoniste et antagoniste d'un vis-à-vis.

Nous verrons plus loin toute l'importance des muscles abdominaux, notamment, antagonistes des muscles du dos. Naturellement, l'allongement des fibres d'un muscle en extension a des limites très précises ; lorsqu'on les dépasse lors d'un effort violent, cela entraîne une déchirure, un claquage, voire une rupture musculaire ou même un arrachement tendineux.

Les limites d'extension musculaire, comme les limites de contraction, jouent donc un rôle de garde-fou contre les excès de l'activité musculaire volontaire.

Notons, enfin, que les douleurs musculaires sont très souvent localisées au niveau de la plaque motrice, siège de récepteurs sensitifs nerveux.

Le tissu graisseux entrave le travail du muscle

Remarquons encore que les masses musculaires sont recouvertes d'une couche de tissu graisseux sous la peau, d'une épaisseur très variable ; de la graisse peut également s'infiltrer entre les fibres musculaires, dans la masse même du muscle.

Il va de soi que plus le tissu graisseux est épais, moins le muscle travaillera correctement, la graisse agissant comme un frein aux contractions et aux détentes, et comme un réducteur de l'irrigation sanguine des cellules musculaires, par effet d'étranglement des minuscules vaisseaux capillaires artériels et veineux.

Il est absolument indispensable de connaître ces notions élémentaires pour bien comprendre le mécanisme qui aboutit aux maux de dos, et aussi pour pouvoir mettre en œuvre, utilement, les méthodes de prévention et de traitement de ces troubles.

Entretenez vos muscles dorsaux

Revenons un instant à notre image de la colonne conçue comme un mât. Pour tenir debout et droit, c'est-à-dire en position érigée, il faut que ce mât soit soutenu par des haubans qui le tirent vers l'arrière, des haubans qui le tirent dans le sens contraire, en avant, des haubans qui le tirent latéralement à droite, d'autres qui exercent une action inverse, vers la gauche.

Tous ces haubans sont des muscles, agencés en une architecture fort complexe. Pour que l'ensemble tienne debout pendant des heures, il faut qu'à chaque instant les forces exercées sur chaque muscle soient exactement compensées et équilibrées par des forces comparables sur les autres muscles.

Aucun muscle ne travaille seul ; à chaque mouvement que nous faisons, nous sollicitons la quasi totalité de tous les muscles qui assurent la station érigée ! Ce qui veut dire que si un seul muscle fonctionne mal, cela aura un retentissement sur l'ensemble tout entier, et bien entendu sur l'équilibre de l'échaffaudage des vertèbres. Autant dire que l'entretien de toute la musculature de soutien est un impératif absolu pour sauvegarder la stabilité et le bon état de la colonne vertébrale.

Les muscles spinaux

Nous allons commencer par un examen sommaire des muscles qui "tirent" la colonne vertébrale vers l'arrière et lui assurent une stabilité latérale (voir schémas page 50). Ce sont les muscles propres à la colonne, appelés aussi spinaux ou encore intrinsèques. Directement rattachés aux vertèbres, ce sont les véritables tuteurs de l'axe spinal.

– La couche la plus profonde est constituée par :

- les muscles transversaires épineux
- les interépineux
- les épi-épineux
- le long dorsal et le sacro-lombaire.

– La couche suivante, superficielle, située au-dessus de la précédente, est formée par :

- le petit dentelé postérieur et inférieur (qui s'attache aux apophyses épineuses des 2 dernières vertèbres dorsales L11 et L12, et aux 3 premières lombaires)
- et le grand dorsal, qui couvre largement tous les muscles profonds et moyens, attaché en haut à l'humérus et en bas au bassin (aponévrose lombaire).

– Les puissants muscles de la région lombo-sacrée agissent comme la corde d'un arc : ce sont eux qui exercent une forte traction vers l'arrière de la colonne lombaire et dorsale. Leur contraction excessive, qui entraîne une exagération de la lordose lombaire normale, est une des causes les plus fréquentes des lombalgies ordinaires.

– La musculature de la nuque et du cou, au niveau des vertèbres cervicales, est encore plus complexe et fine, de manière à assurer une très grande mobilité de la tête et une amplitude exceptionnelle aux mouvements de celle-ci.

Parmi ces muscles, citons, le long du cou :

- le grand et le petit droits antérieurs
- les droits latéraux
- les hyoïdiens
- les sous-occipitaux

- les oculo-céphalogyres
- le splénius
- les complexus
- l'angulaire de l'omoplate

Et les plus superficiels :

- le trapèze (attaché sur l'os occipital, à la clavicule et aux vertèbres cervicales et dorsales, couvrant toute la partie postérieure du cou et le haut du dos)
- et le sterno-cléïdo-mastoïdien (souvent douloureux quand on les presse, parce que presque toujours hyper-contractés).

La ceinture abdominale

Les muscles antagonistes des muscles spinaux sont essentiellement formés par les muscles qui constituent la ceinture abdominale (voir schémas page 51). Ils exercent une traction en avant sur la colonne vertébrale et participent à la répartition optimale des pressions agissant sur les vertèbres.

Ces muscles abdominaux sont disposés en couches superposées, dont les fibres sont orientées dans des directions croisées d'une couche à l'autre, de sorte à assurer la meilleure résistance possible à l'ensemble.

- La couche la plus profonde est formée par le muscle transverse ;
- viennent ensuite le petit oblique, le grand oblique
- et enfin, le grand droit, le plus superficiel.

Pour bien comprendre le mécanisme qui rend interdépendants les muscles spinaux et les abdominaux, faites la petite expérience suivante :

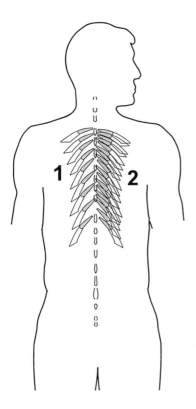 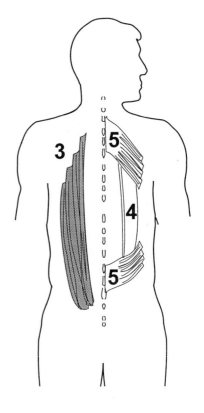

Les muscles dorsaux

1) Muscles profonds
2) Muscles spinaux
3) Petit dentelé
4) Plan musculaire moyen du dos
5) Muscles superficiels

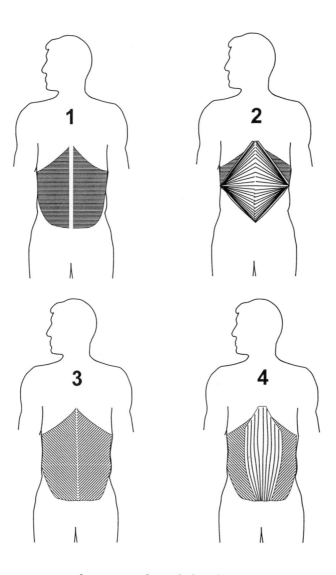

Les muscles abdominaux
1) Plan profond, muscle transverse
2) Plan moyen, petit oblique
3) Premier plan superficiel, grand oblique
4) Second plan superficiel, grand droit

gonflez le ventre en le projetant en avant ; immédiatement, vous ressentirez le dos se cambrer au niveau de la région lombaire. À l'inverse, lorsque vous "rentrez" le ventre en contractant les muscles abdominaux, vous constaterez que les muscles fessiers se contractent aussi et que le bassin se redresse.

Ceci montre une chose extrémement importante : la stabilité, l'équilibre, la solidité de la colonne vertébrale dépendent aussi de la musculature abdominale. Des abdominaux relâchés ou délabrés entraînent inévitablement une désorganisation de l'axe vertébral dans son ensemble. Il n'y a, d'ailleurs, qu'à regarder la silhouette si caractéristique (dos voûté, reins creusés) des individus au ventre proéminent.

Par conséquent, l'entretien de la musculature abdominale est aussi impératif que celui de la musculature dorsale ; en fait, les 2 sont inséparables.

Les autres muscles

De nombreux autres muscles interviennent plus ou moins directement sur le maintien d'une station érigée correcte, sans mal de dos. Citons :

– Le diaphragme : considéré par certains comme le "muscle de la vie", il sépare transversalement, par rapport à l'axe du corps, la cage thoracique de la cavité abdominale. Il s'attache aux premières vertèbres lombaires, aux 6 dernières vraies côtes et à l'appendice xyphoïde, à la base du sternum.

Jouant un rôle vital dans la fonction respiratoire, le diaphragme obéit à une double commande nerveuse : il peut agir sur commande du système nerveux central, et se trouver donc sous l'influence de la volonté. Mais, la plupart du temps, il fonctionne sous le contrôle du système nerveux autonome : à ce titre, son fonctionnement peut être perturbé par des phénomènes psychiques complexes qui peuvent le rendre très sensible au stress.

● C'est ainsi que sa contrature anormale dans des situations de stress peut être à l'origine de nombreux troubles, notamment d'hyperlordose lombaire avec cyphose dorsale, cause de lombalgies récidivantes, voire chroniques. Aussi, la lutte contre le stress, que nous détaillerons en 3è Partie, est une des thérapeutiques les plus efficaces pour combattre certaines formes de mal de dos.

– Le périnée forme le plancher de la cavité abdominale, ou plancher pelvien. Il comprend plusieurs muscles liés aux organes génitaux et urinaires et sert indirectement de point d'appui aux organes abdominaux.

● Son relâchement ou son affaissement peut engendrer, entre autres troubles, des lombalgies dues à l'étirement des ligaments suspenseurs.

– Le muscle psoas s'attache en haut aux 2 dernières côtes et aux premières vertèbres lombaires ; en bas, il s'attache à la partie supéro-interne du fémur, après avoir longé verticalement le côlon descendant et traversé le bassin.

● Fonctionnellement, il assure la flexion de la hanche sur le tronc. Sa contraction excessive permanente est la cause d'hyperlordose lombaire, d'accentuation de la cyphose dorsale, d'une raideur douloureuse de la hanche, de lumbago, de névralgie crurale.

● À la longue, et sans traitement approprié, cette contraction permanente peut déboucher sur une usure prématurée du cartilage de l'articulation fémuro-iliaque. On doit donc surveiller l'état de ce muscle, trop souvent négligé, quand il n'est pas tout simplement ignoré, y compris par certains praticiens peu scrupuleux.

– Les muscles intercostaux, situés entre les côtes qu'ils relient les unes aux autres, n'ont pas de rôle direct sur la tenue du dos ; ils assurent une fonction essentielle dans le processus respiratoire.

● Toutefois, leur mauvais état se traduit par une pression accrue sur le diaphragme et sur les muscles abdominaux, dont la perturbation a des effets négatifs sur les muscles dorsaux. Comme on le voit, tout se tient, tout est solidaire dans le corps humain !

– Le muscle carré des lombes s'attache sur l'os iliaque, les apophyses transverses des vertèbres lombaires et la dernière côte, de chaque côté du corps.

● Très fréquemment contracturé, il est le siège de douleurs lombaires latérales. Son massage, assez aisé, permet de traiter localement lombalgies et lumbagos.

– Le muscle pyramidal du bassin s'attache en profondeur au sacrum et au fémur. Bien qu'il appartienne au groupe des muscles de la hanche et du bassin, il peut intéresser le "mal de dos" car il est, en effet, traversé par le nerf sciatique.

- Sa contracture, assez fréquente, entraîne un pincement du sciatique, provoquant de très vives douleurs localisées à la racine de ce nerf, c'est-à-dire dans le creux des reins.

Importance des muscles éloignés

Cet exposé très bref et sommaire des muscles qui participent directement ou indirectement au maintien normal de la station érigée, et dont le mauvais entretien est une des causes les plus fréquentes du mal de dos, serait incomplet si l'on n'évoquait pas certains muscles ou groupes de muscles situés loin de la colonne vertébrale.

Les muscles des membres inférieurs

Les principaux sont ceux des membres inférieurs : il est évident qu'une faiblesse ou une atrophie des muscles des cuisses, des jambes et des pieds se traduira inévitablement par des postures vicieuses qui affecteront la rectitude de l'axe vertébral, entraînant déviations, contractures et... douleurs dorsales !

On sait qu'une différence de longueur, même de deux centimètres, entre la jambe gauche et la droite, détermine un désaxement de la colonne vertébrale : les muscles, les ligaments, les corps vertébraux et articulations vertébrales situés du côté de la jambe la plus courte sont "écrasés", tandis que les éléments analogues, du côté opposé, sont soumis à des étirements ou à des élongations. Les phénomènes de compensation involontaire (le corps cherchera à rétablir l'équilibre en agissant contradictoirement sur les 2 côtés) ne feront qu'aggraver les anomalies fonctionnelles.

Les muscles des membres supérieurs

De même, les muscles des membres supérieurs peuvent affecter indirectement la tenue normale du dos. Si ces muscles ne sont pas assez solides et toniques pour assurer la suspension des bras, le poids de ces derniers ajoutera sa pression sur les disques, les ligaments et les muscles de la colonne vertébrale, contribuant ainsi à provoquer des contractions et des compressions anormales.

En résumé donc, on peut dire que si la possibilité pour le bipède de se tenir debout sur ses membres inférieurs dépend pour l'essentiel de l'édifice complexe qu'est la colonne vertébrale, avec ses vertèbres de structures si différentes, ses ligaments, ses muscles, l'ensemble de la musculature du corps participe plus ou moins directement à ce processus.

Les schémas des pages 50 et 51 montrent de manière statique l'étonnante configuration générale de la musculature : tous les muscles extenseurs (de la tête, du tronc, des cuisses et des pieds), sont situés sur la partie postérieure du corps, tandis que les muscles fléchisseurs (de la tête, du tronc, des pieds) se trouvent sur la partie antérieure, à l'exception des jambes pour lesquelles cette situation est inversée.

Les courbures de la colonne vertébrale

La colonne vertébrale n'est pas droite, rectiligne. Elle comporte physiologiquement, c'est-à-dire naturellement, plusieurs courbures qui jouent, là encore, un rôle essentiel dans le maintien de la station érigée.

Ces courbures font que la colonne vertébrale dessine une sorte de double S autour de l'axe géométrique idéal du corps, entre le sommet du crâne et la pointe du sacrum. Si la colonne se confondait avec cet axe idéal, sa résistance aux charges et aux pressions serait quasiment nulle. Au contraire, le fait que ces charges et pressions soient réparties de part et d'autre de l'axe, augmente la résistance.

Toutes proportions gardées, les choses se passent un peu comme pour les chemins de haute montagne : si l'on traçait un chemin direct entre la base et le sommet de la montagne, son escalade serait très pénible ; au contraire, un chemin en lacets, certes plus long, réduit considérablement l'effort nécessaire pour atteindre le sommet.

Les spécialistes ont calculé le gain de résistance de la colonne obtenu grâce aux courbures. Il serait donné par la formule :

$$R = N^2 + 1$$

dans laquelle R est la résistance totale, N^2 le nombre de courbures élévé au carré, plus 1.

Ainsi la résistance serait multipliée par 10 ! Ce gain a pu être démontré expérimentalement sur des mannequins reproduisant la configuration exacte de la colonne vertébrale. Cela nous amène à en tirer une conclusion importante : la perte des courbures fragilise la colonne, en diminue la résistance et, à partir d'un certain seuil, devient une cause chronique du mal de dos.

Il y a 2 types de courbures normales

● les cyphoses

● les lordoses

– Les cyphoses sont des incurvations de la colonne vertébrale formant une convexité postérieure, ou, si l'on préfère, une "bosse" par rapport à l'axe.

Les cyphoses sont au nombre de 2 :

● la cyphose dorsale

● la cyphose lombo-sacrée

– Les lordoses sont des incurvations à convexité antérieure, c'est-à-dire formant un creux par rapport à l'axe.

Les lordoses sont également au nombre de 2 :

● la lordose cervicale

● la lordose lombaire

Dans le langage courant, quand on parle de "cyphose" ou de "lordose", on désigne en réalité un état pathologique correspondant à une hypercyphose ou à une hyperlordose.

Notons tout de suite, au passage, l'existence d'une autre courbure, de nature toujours pathologique, anormale : la scoliose, qui consiste en une incurvation latérale de la colonne vertébrale, autrement dit, formant une déviation à droite ou à gauche d'une partie du rachis (le plus souvent de la colonne lombaire). Nous y reviendrons plus loin.

Évolution des 4 courbures : du fœtus à l'adulte

Les 4 courbures physiologiques (voir schéma page 61) apparaissent progressivement avec l'âge :

- Chez le fœtus, il n'y a qu'une unique courbure incurvée postérieurement.
- Le nourrisson présente déjà l'ébauche de la cyphose dorsale.
- À 3 mois, la lordose cervicale commence à se dessiner.
- Elle s'accentue vers l'âge de 6 mois.
- À 1 an, lorsque l'enfant acquiert la station debout, la lordose lombaire apparaît, et s'accentue quand il commence à marcher.
- À l'adolescence, les 4 courbures sont bien dessinées, mais le rachis est très fragile (risque d'épiphysite).
- Chez le jeune adulte, toutes les courbures sont normalement installées dans une posture correcte.
- À cet âge (18-22 ans environ), si le sujet a connu un développement physiologique normal et n'a subi aucun traumatisme ou accident, son dos est parfaitement équilibré.

Comment mesurer l'importance des courbures

On peut mesurer l'importance des courbures. On demande au sujet de se placer le dos contre un mur, sans aucune contraction ; le corps doit toucher à peine le mur en 3 points :

- l'arrière du crâne
- le haut du dos à hauteur des épaules
- et le haut des fesses

On constate alors que son dos présente 2 creux, au niveau de la nuque et au niveau des lombaires.

Le point le plus creux de la lordose cervicale doit être éloigné du mur de 40 à 65 mm (valeurs normales), et le point le plus creux de la lordose lombaire de 35 à 45 mm au maximum.

Évitez les mauvaises habitudes

Malheureusement, ce bel ordonnancement de la colonne vertébrale va être plus ou moins perturbé par notre mode de vie moderne, par les mauvaises habitudes posturales que nous contractons au travail ou dans nos autres activités, etc. Cela aboutit à la constitution de déviations diverses de l'architecture vertébrale : hypercyphoses dorsales, hyperlordoses lombaires, dos plat, inversion des courbures, scolioses, etc., qui sont les principales causes du mal de dos.

Cela souligne l'absolue nécessité d'un entretien de la posture vertébrale si l'on veut éviter ces troubles dont les conséquences peuvent être terriblement handicapantes. Cet entretien doit commencer dès le plus jeune âge et se poursuivre toute la vie. C'est là le secret d'une vieillesse heureuse, car même si le poids des ans finit toujours par peser, lui aussi, sur la colonne vertébrale, ce poids sera infiniment mieux supporté par une colonne bien entretenue.

Les charnières vertébrales

Les courbures de la colonne vertébrale lui assurent une formidable résistance aux charges et aux pressions. Mais elles comportent une contrepartie hélas moins favorable. En effet, les vertèbres situées aux endroits où commencent ces courbures sont soumises à un travail permanent

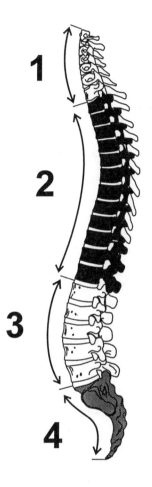

Les 4 courbures vertébrales

1 : la lordose cervicale
2 : cyphose dorsale (primaire)
3 : lordose lombaire
4 : cyphose sacro-coccygienne

La courbure lombaire et la charnière lombo-sacrée

et surtout beaucoup plus difficile que celui subi par les autres vertèbres.

Ces vertèbres particulièrement exposées constituent des zones charnières, sièges et productrices de douleurs (voir schéma page 63). Ce sont de haut en bas :

- la zone charnière occipito-cervicale,
- la cervico-dorsale,
- la dorso-lombaire,
- et la lombo-sacrée.

Chacune marque un lieu de transition entre 2 familles de vertèbres, dont la structure morphologique, la disposition, l'orientation et la mobilité sont différentes. Les vertèbres concernées sont elles-mêmes doublement apparentées : à la famille des vertèbres du dessus et à la famille des vertèbres du dessous, ce qui les fragilise encore un peu plus.

La charnière occipito-cervicale

La charnière occipito-cervicale est formée par la base de l'occiput, l'atlas et l'axis. C'est la charnière de la mobilité par excellence, qui permet à la tête de se tourner dans toutes les directions de l'espace, au yeux de se porter dans tous les sens, à l'oreille et aux centres de l'équilibre, de remplir leurs fonctions.

La mobilité de cette charnière est assurée par un nombre considérable de muscles relativement petits. Leur multiplicité et leur relative modestie, en terme de puissance motrice, font que cette charnière très sollicitée est aussi la plus fragile. Encore que sa résistance aux pressions verticales soit tout à fait étonnante : les porteurs africains ou les sherpas népalais sont capables de porter

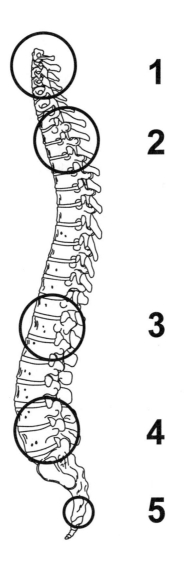

1

2

3

4

5

Les 5 zones charnières de la colonne

1 : Charnière occipito-vertébrale   4 : Charnière lombo-sacrée

2 : Charnière cervico-dorsale   5 : Charnière sacro-coccygienne

3 : Charnière dorso-lombaire

sur leur tête, et sur de longues distances, des charges de plus de 60 kg, sans aucun dommage !

Toute atteinte ou déformation au niveau de cette charnière a des répercussions sur la colonne vertébrale dans son ensemble, jusque et y compris le sacrum et le coccyx. De plus, ces perturbations survenant au voisinage du tronc céphalo-rachidien, des troubles affectent aussi le système neuro-végétatif, avec des conséquences sur des organes situés loin de cette charnière.

La charnière cervico-dorsale

La charnière cervico-dorsale concerne spécifiquement la cervicale C7 et la dorsale D1.

La C7 termine la colonne cervicale d'une très grande mobilité et est incurvée vers l'avant, tandis que la D1 marque le début de la colonne dorsale, beaucoup moins mobile et incurvée dans la direction opposée, vers l'arrière. Il s'ensuit une fragilité due non pas à des pressions excessives mais au freinage des mouvements de la colonne cervicale par la dorsale.

Pour compenser cet aléa, on adopte souvent une posture vicieuse qui consiste à courber le dos en avant, ce qui accentue la cyphose dorsale et peut aboutir, à partir d'un certain âge (vers la quarantaine), à la formation de la "bosse de bison", qui s'accompagne d'un redressement de la lordose lombaire avec toutes leurs conséquences fâcheuses.

La surveillance médicale des adolescents est nécessaire

La charnière cervico-dorsale est également le siège habituel d'une affection bien connue et assez fréquente, l'épiphysite vertébrale qui frappe les adolescents. Cette maladie, appelée également cyphose douloureuse des adolescents, maladie de Scheuermann, polyépiphysite vertébrale ou encore maladie des plateaux vertébraux, est parfois de type familiale. Les enfants de familles à risques doivent être suivis par un médecin spécialisé afin de prévenir l'apparition de la maladie (c'est possible) ou, tout au moins, d'en limiter le développement.

Le malade souffre de douleurs en haut du dos, entre les omoplates. Il présente une certaine raideur de la nuque et une cyphose dorsale à grand rayon. À la radiographie, on constate un aplatissement des corps vertébraux de C7 et de D1, parfois de D2, voire de D3. Les plateaux des corps vertébraux sont irréguliers, comme feuilletés, avec des encoches en forme de demicercle qui indiquent des hernies discales à ces différents niveaux. La maladie laisse des séquelles à vie (déformation en coin des corps vertébraux et hypercyphose dorsale).

On voit donc que la surveillance médicale du dos à cet âge si précaire qu'est l'adolescence est une nécessité absolue, même pour les enfants n'ayant aucun antécédent familial d'épiphysite vertébrale.

La charnière dorso-lombaire

La charnière dorso-lombaire est formée par la dernière vertèbre dorsale D12 et la première lombaire L1. Elle marque la transition entre la colonne dorsale bombée en arrière (cyphose) et encore relativement mobile, et la colonne lombaire bombée en avant (lordose) et très peu mobile.

Cette charnière est très fragile : les pressions qui s'exercent sur le haut de L1 sont énormes : tout le poids de la tête et du tronc, plus le poids des objets soulevés ou portés par les bras ou les mains. En outre, les mouvements violents imprimés à toute la partie du corps située au-dessus de cette charnière (abdomen, tronc, tête) se traduisent par un écrasement des corps vertébraux concernés.

Au demeurant, la plupart des fractures vertébrales consécutives à une chute brutale ou à un accident de la route se produisent dans cette zone ; elles peuvent s'accompagner de la compression, voire de la section de la moelle épinière, aux conséquences toujours dramatiques.

Un impératif : renforcez tous les muscles de cette région

Le renforcement des muscles profonds et des grands muscles de soutien de cette région est un impératif de tout entretien et plus encore, de toute rééducation, à la suite d'un accident.

On notera aussi que le "gros ventre en avant" (en particulier chez les obèses, même légers) est l'une des grandes causes de fragilisation (hyper-lordose lombaire) de cette charnière.

Du reste, après l'accouchement, on conseille vivement une rééducation médicalement assistée de toute la région des reins.

La charnière lombo-sacrée

La charnière lombo-sacrée est formée par la dernière vertèbre lombaire L5 et le haut du sacrum (ou S1).

Zone de transition, également, entre la colonne lombaire incurvée en avant et encore capable de mouvements de faible amplitude, et le sacrum incurvé en arrière et complètement statique, c'est la charnière la moins mobile de toutes. Mais c'est aussi la plus solide, avec ses vertèbres massives et ses puissants muscles profonds et de soutien. Elle reçoit l'intégralité des pressions du corps et des charges portées.

Cette charnière a été comparée, parfois, à une grue de chantier ou de port. Le sacrum et le bassin avec lequel il est articulé formeraient la partie stable de la grue, fixée au sol ; la partie mobile ou flèche correspondrait au dos mobile (colonnes lombaire, dorsale et cervicale). Chaque fois que la flèche effectue un mouvement, avec ou sans charge, la somme des pressions qu'elle développe vient s'appliquer sur la partie stable, c'est-à-dire sur le sacrum.

Le siège de la plupart des affections

On comprend dès lors que la plupart des affections vertébrales et discales proprement dites, y siègent. C'est là que se produisent les douleurs les plus vives et les plus tenaces (douleurs lombaires), et c'est de là que partent les sciatiques si atroces.

Solide et fragile tout à la fois, la charnière lombo-sacrée constitue le véritable pivot du corps tout entier.

Les 4 mouvements de la colonne vertébrale

La colonne vertébrale n'est pas seulement un mât qui permet la station érigée. C'est un mât vivant, capable d'effectuer des mouvements complexes, rendus possibles par la morphologie des différentes familles de vertèbres et parfois de certaines vertèbres mixtes, et par les articulations qui relient les vertèbres entre elles et avec d'autres pièces du squelette (occiput, côtes, os iliaques, etc.).

Ces mouvements, au nombre de 4, peuvent se combiner entre eux (voir schémas page 69). Ce sont :

- la flexion
- l'extension
- la flexion ou inclinaison latérale
- et la rotation ou torsion

Nous allons voir que chacun de ces mouvements est obtenu par des déplacements particuliers des vertèbres, déplacements toujours effectués par le travail de muscles spécifiques.

La flexion

La flexion correspond au mouvement d'inclination en avant, quand on se penche pour ramasser un papier sur la table, par exemple. Ce mouvement, dans lequel la colonne vertébrale s'arrondit plus ou moins selon l'amplitude voulue, est réalisé par le jeu simultané des muscles et des vertèbres.

Au niveau musculaire, les muscles fléchisseurs du tronc (ceinture abdominale), les fléchisseurs de la tête et du cou et les fléchisseurs des pieds se contractent, tirant la colonne en avant. Dans le même temps, les muscles extenseurs de la tête, du dos, des cuisses et des pieds se relâchent, n'opposant pas de résistance à l'action des fléchisseurs, tant que le mouvement se situe

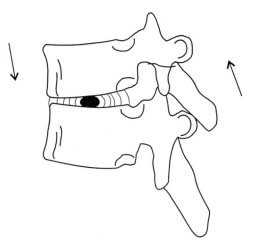

Une vertèbre en flexion avant

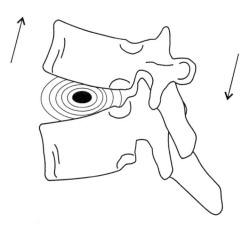

Une vertèbre en extension

dans les limites d'amplitude conformes à la physiologie.

Il peut arriver, toutefois, que ces muscles extenseurs soient "noués", c'est-à-dire raidis par un effort antérieur ou par une autre cause : la flexion en avant sera alors limitée dans son amplitude. De même, si les muscles fléchisseurs, notamment ceux de l'abdomen, sont affaiblis ou si de gros bourrelets de graisse s'opposent à leur contraction complète (comme chez les obèses), ils ne pourront pas tirer suffisamment la colonne en avant, et le mouvement de flexion sera de très faible amplitude également.

Bien entendu, toute blessure, traumatisme ou altération d'un des muscles en cause (fléchisseurs ou extenseurs) empêchera ou limitera le mouvement.

La flexion totale, chez le sujet sain et souple, atteint environ 110°. Chez les grands obèses, elle peut être inférieure à 45° !

Sur le plan vertébral, la flexion provoque un bâillement des vertèbres : les corps vertébraux se compriment les uns sur les autres, comprimant du même coup les disques intervertébraux en avant ; tandis que les articulations postérieures intervertébrales s'écartent les unes des autres (bâillement).

Pour prévenir toute lésion des disques consécutivement à une flexion excessive, une limite est assignée au mouvement par le ligament postérieur, le ligament jaune et les ligaments interépineux, ces derniers empêchant spécialement tout écartement excessif entre les vertèbres adjacentes en arrière.

La flexion agit mécaniquement en redressant la lordose cervicale et la lordose lombaire, tout en augmentant la cyphose dorsale.

L'extension

L'extension est le mouvement inverse de la flexion : la colonne est tractée en arrière par rapport à l'axe du corps. Ce mouvement est provoqué par la contraction des muscles extenseurs du dos, de la tête, des jambes et des pieds ; dans le même temps, les muscles fléchisseurs se relâchent et se détendent.

L'extension totale atteint exceptionnellement 140° chez le sujet sain et souple.

Sur le plan vertébral, les articulations postérieures intervertébrales se rapprochent, jusqu'à se comprimer dans les mouvements extrêmes ; les corps vertébraux s'écartent légèrement les uns des autres, provoquant une compression des disques intervertébraux en arrière, près du canal rachidien. Heureusement, l'amplitude de ce mouvement est limitée d'abord physiquement (et douloureusement !) par les butées que constituent les apophyses épineuses les unes par rapport aux autres, et mécaniquement par la résistance que lui oppose le ligament commun antérieur.

L'extension provoque une forte accentuation de la lordose cervicale : cela a une incidence importante sur l'artère vertébrale au niveau de la charnière où elle peut être dangereusement comprimée chez les arthrosiques (auxquels ce mouvement est déconseillé, du moins avec effort).

L'inclinaison latérale

L'inclinaison latérale est le mouvement qui fait pencher le tronc à droite ou à gauche. Il entraîne automatiquement une rotation.

Il est produit par la contraction des muscles latéraux du côté vers lequel on se penche et par une partie des fléchisseurs abdominaux du même côté. Les vertèbres se rapprochent latéralement d'un côté, et s'éloignent du côté opposé. Les disques intervertébraux sont alors comprimés du côté de l'inclinaison et décompressés de l'autre côté.

L'amplitude de l'inclinaison latérale est plus forte au niveau de la colonne cervicale (35 à 45° environ) que des colonnes dorsale et lombaire (20° au maximum). Notons que là encore, ces mouvements latéraux peuvent être considérablement limités par la présence d'une ceinture adipeuse abdominale importante.

La rotation ou torsion

La rotation est le mouvement qui consiste en un pivotement d'une vertèbre ou d'un groupe de vertèbres par rapport à celle(s) située(s) en dessous et supposée(s) fixe(s). Cela correspond au mouvement que l'on effectue lorsque l'on tourne la tête et/ou le tronc, à droite ou à gauche, par exemple pour regarder ou parler à un voisin de table, le tronc restant fixe.

L'amplitude de la rotation est plus ou moins grande, selon les régions :

– la colonne cervicale peut pivoter sur 45° de chaque côté (ce qui donne une rotation totale de la tête de 90° par rapport au bassin) ;

– la colonne dorsale a une mobilité moins grande (30 à 35°) ;

– tandis que la colonne lombaire en est réduite à une rotation n'excédant guère 5°.

Mouvement très complexe qui met en jeu de

très nombreux muscles profonds et superficiels, la rotation peut être dangereuse si elle est effectuée brutalement, en porte-à-faux, ou avec une charge lourde.

Tous ces mouvements de la colonne vertébrale sont régis par un "ordinateur" extraordinaire : la moelle épinière, capable de coordonner une infinité d'opérations simultanées en un millionnième de seconde !

La moelle épinière, véritable ordinateur quasi autonome

2 systèmes nerveux, vitaux et complémentaires

Toutes les fonctions, toutes les activités du corps obéissent aux commandes électriques de 2 systèmes nerveux, qui se partagent les rôles de manière complémentaire :

- le système nerveux neurovégétatif
- le système nerveux central ou cérébro-spinal

– Le premier, dit aussi autonome ou involontaire, règle automatiquement un très grand nombre de fonctions végétatives essentielles, sans que le conscient et la volonté n'interviennent, comme par exemple la régulation du rythme cardiaque, des sécrétions des glandes, du pH sanguin, etc.

– Le second, appelé système nerveux volontaire, assure toutes les fonctions de relation, comme le fait de se déplacer, de s'alimenter, de travailler, de parler, etc.

Au contraire du premier qui échappe totalement à toute influence de la volonté, le système cérébro-spinal peut être éduqué, amélioré par des entraînements volontaires appropriés. Il se compose du cerveau et de la moelle épinière. C'est cette dernière qui nous intéresse plus particulièrement ici : elle est, en effet, intégralement enfermée dans le canal rachidien et donc protégée par les éléments constitutifs de la colonne vertébrale, vertèbres, ligaments, muscles, derme.

Toute anomalie constitutionnelle ou fonctionnelle de la colonne, à quelque niveau que ce soit, a des répercussions immédiates sur le fonctionnement de la moelle épinière.

Constitution de la moelle épinière

La moelle épinière se présente comme un cylindre légèrement aplati, constitué de substance blanche et de substance grise, faisant suite au bulbe rachidien qui sort directement et dans le prolongement du cerveau, au niveau du trou occipital. De là, elle descend tout le long de l'empilement des vertèbres par le trou rachidien, depuis l'atlas jusqu'à la deuxième vertèbre lombaire, où elle se termine par le filum terminal dit "queue de cheval" (voir schéma page 76).

Elle mesure en moyenne 42 à 45 cm de long chez l'adulte.

De chaque côté de la moelle épinière émergent les racines antérieures motrices et postérieures sensitives des nerfs rachidiens. À l'intérieur de la moelle courent les voies sensitives motrices et d'association.

Organe vital de même nature que le cerveau, la moelle épinière bénéficie de protections physiques très résistantes, comparables à celles de l'encéphale. Le crâne qui protège ce dernier est d'ailleurs considéré par certains spécialistes physiologistes, comme un système de vertèbres qui ont simplement changé de forme au cours de l'évolution.

Les 3 enveloppes qui la protègent

Outre les éléments vertébraux qui enserrent le trou rachidien, la moelle épinière possède, comme le cerveau, 3 enveloppes de "protection rapprochée", les méninges. Ce sont :

- La dure-mère, la plus externe. Constituée d'un tissu fibreux dur et résistant, elle est séparée des parois osseuses des vertèbres par un petit espace comblé par du tissu graisseux : l'espace épidural.

  La dure-mère recouvre la moelle sur toute sa longueur : elle est fixée en haut à la base du crâne, sur les bords du trou occipital, et en bas au sacrum et au coccyx, formant ainsi un lien mécanique entre la région du bassin et la tête.

  Pour cette raison, les atteintes du sacrum et du coccyx, à la suite d'un accident ou d'une déviation par exemple, ont toujours des répercussions au niveau de la tête et du cerveau. Bien des maux de tête chroniques et résistants à toutes les thérapeutiques locales n'ont pas d'autre origine que la malposition de la dure-mère dans la région sacro-coccygienne - origine que l'on ne songe pas souvent à envisager !

- La deuxième enveloppe, intermédiaire entre la plus externe, la dure-mère, et la plus interne, la pie-mère, est l'arachnoïde.

  Membrane molle, souple et mince, elle est séparée de la pie-mère par un espace très fin où

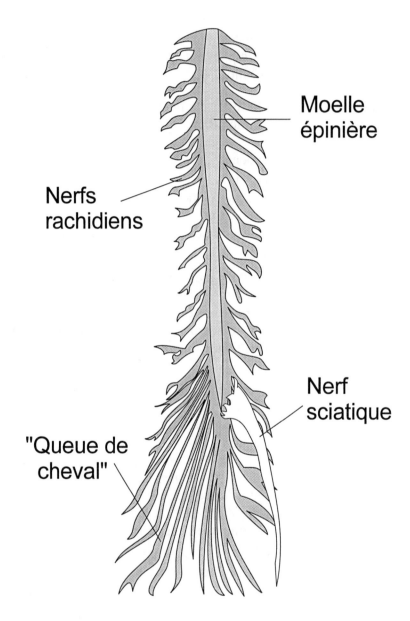

La moelle épinière et les ramifications nerveuses

circule le liquide céphalo-rachidien, vital pour le tissu nerveux. C'est ce liquide que l'on prélève lors d'une ponction lombaire. Son analyse en laboratoire permet de diagnostiquer un grand nombre d'affections ou de troubles nerveux ou cérébraux.

– La pie-mère, membrane la plus interne, recouvre étroitement le corps nerveux rachidien proprement dit, dont elle épouse le moindre relief, la plus infime sinuosité. Ultime rempart du tissu nerveux spinal, fortement vasularisée, elle s'attache en bas à l'extrémité du coccyx.

Le fonctionnement des nerfs rachidiens

La moelle épinière n'est pas un simple tronc qui court à l'intérieur du canal rachidien. Elle se ramifie à chaque étage vertébral. Par les trous de conjugaison, situés latéralement des 2 côtés entre 2 vertèbres adjacentes, émergent en effet 31 paires de nerfs rachidiens.

Ces nerfs innervent de très nombreux muscles participant à la station debout et à son maintien dans la durée. Si l'un de ces nerfs est perturbé à sa racine ou sur une autre partie de son trajet, par exemple par une pression excessive des vertèbres, des ligaments ou des muscles, le fonctionnement du muscle auquel il transmet normalement l'impulsion nerveuse en sera affecté.

Comme les muscles sont étroitement interdépendants, le dysfonctionnement de l'un d'entre eux entraîne automatiquement un dysfonctionnement de tout l'ensemble. De plus, les ganglions du système végétatif qui régit le fonctionnement des organes et des viscères internes, sont échelonnés tout le long de la colonne vertébrale : ils sont situés au niveau de chaque vertèbre.

Aussi, de nombreux troubles fonctionnels d'organes ou de viscères trouvent leur origine dans la perturbation d'une ou de plusieurs vertèbres. Mais cela ne signifie évidemment pas que tous les troubles fonctionnels incriminés aient toujours une cause vertébrale, loin s'en faut.

La moelle épinière peut être autonome

La moelle épinière agit comme un formidable ordinateur connecté au cerveau, mais dont elle ne fait pas qu'exécuter les ordres : elle est capable de répondre de manière autonome à des situations qui exigent une réponse instantanée et parfaitement adaptée, réponse qui serait trop lente à venir si elle devait être formulée par le cerveau. Cette notion est fondamentale pour bien comprendre le mécanisme très complexe qui aboutit au mal de dos.

Voici, schématiquement, comment les choses se passent :

Les rameaux de la moelle épinière qui sortent par les trous de conjugaison se subdivisent à leur tour en ramifications secondaires, lesquelles se ramifient, et ainsi de suite, jusqu'à des terminaisons extrêmement fines.

Ces terminaisons se situent les unes sur les fibres des muscles, les autres sur les capsules ou enveloppes des articulations postérieures vertébrales et les ligaments vertébraux. Ces dernières fonctionnent, en fait, comme des détecteurs de pression et d'élongation : dès que la pression ou l'étirement dépasse un certain seuil considéré comme "normal" (on parle de seuil de souffrance), ces détecteurs envoient un message ultra-rapide vers la moelle épinière ; en fonction de ce ou de ces messages, la moelle réagit en un millionnième de seconde et envoie une impulsion à ses terminaisons nerveuses situées sur les fibres musculaires, de manière à obtenir soit une contraction, soit un relâchement du muscle concerné, de manière à éliminer une pression trop forte ou un étirement excessif.

Ces ajustements sont effectués sans discontinuer 24 heures sur 24, et toute la vie durant ! Ils sont commandés et régulés par la moelle sans aucune intervention du cerveau, c'est-à-dire du conscient. Le système fonctionne donc avec une automaticité absolue.

Quelques exemples pour mieux comprendre

Cette notion, un peu caricaturale à dessein, pour mieux la faire comprendre, est capitale. Tout se passe, en effet, comme si la moelle épinière possédait un stock presque inépuisable de programmes de mouvements parfaitement coordonnés, de nature à répondre à toutes les circonstances de la vie, ou presque. Y compris des programmes ouverts : ainsi, lorsque nous trébuchons sur un obstacle (le trébuchement n'est pas un mouvement normalement programmé, mais un accident dont l'hypothèse est peut-être potentiellement retenue par la mémoire), c'est la moelle qui déclenche tout un ensemble de contractions et de relâchements musculaires afin de rétablir l'équilibre du corps et éviter la chute ; durant cette opération, le cerveau a eu tout juste le temps d'enregistrer l'alerte !

Imaginons maintenant, par exemple, que nous

ayons décidé de nous installer à une table pour écrire une lettre. Le cerveau va envoyer 2 commandes principales :

- La première est destinée aux 4 membres, dont les mouvements sont régis par des centres de la motricité situés dans le cortex cérébral, pour qu'ils adoptent les différentes postures et gestes nécessaires à cette opération (fléchissement des genoux, installation assise sur la chaise, etc.).

- La seconde va parvenir à la moelle épinière, avec une consigne :

  • "ouvrir" le programme "écrire une lettre en étant assis à une table"

  Avec une extraordinaire précision et une coordination incroyable de dizaines de muscles différents qui participent à la posture désirée et à son maintien aussi longtemps que nécessaire, la moelle épinière va "se débrouiller" toute seule pour que cet acte soit effectué avec le minimum d'efforts possible et sans dommage ou inconvénient.

  Les infimes ajustements et répartitions des pressions sur l'ensemble de la colonne vertébrale et des muscles abdominaux seront opérés en quelques fractions de seconde, sans jamais aucune intervention directe du cerveau !

Une mécanique de précision

Cette remarquable mécanique de très haute précision a une contrepartie moins positive. En poursuivant avec notre exemple (écrire une lettre), imaginons que ce soit une très longue lettre et que nous voulions la terminer à tout prix. Au bout d'un certain temps, 2 ou 3 heures, nous commençons à ressentir de la fatigue. Les muscles trop longtemps contractés, les ligaments, les nerfs sensitifs des capsules articulaires envoient des messages d'alerte à la moelle épinière qui, à son tour, alerte le cerveau central.

Si notre volonté est suffisamment ferme pour que nous terminions à tout prix la lettre, le cerveau va ignorer les messages alarmants et au contraire répéter sa commande d'exécuter la tâche décidée, malgré les signes de souffrance qui lui parviennent incessament de la moelle épinière.

Cette prééminence du cerveau, et de la volonté par conséquent, est mieux mise en évidence encore par l'effort "surhumain" de l'athlète. En dépit de souffrances intolérables qui peuvent tourner au drame à tout instant (déchirures musculaires, claquage, arrachement de tendons), l'athlète poursuit son effort au-delà des limites du supportable parce qu'il a décidé de battre un record, de devancer un concurrent. Son cerveau devient sourd à toutes les alarmes du système neuro-musculaire.

Mieux, ou pire, il est capable d'user de subterfuges extraordinaires pour atteindre le but fixé par la volonté consciente : il peut commander une sécrétion massive d'hormones ou de neuro-médiateurs naturels de l'analgésie, les endorphines, qui agissent exactement comme la morphine, c'est-à-dire qu'elles anesthésient les régions musculaires douloureuses. L'athlète pourra continuer ainsi son effort sans gêne apparente. Mais, une fois l'effet analgésique des endorphines passé (au bout de quelques minutes ou dizaines de minutes), le réveil sera douloureux !

En résumé

On retiendra, de ce qui précède, 2 données fondamentales :

1) Tous nos gestes, tous nos actes sont soumis, en dernière analyse, à la volonté, à l'activité cérébrale consciente.

Lorsque le cerveau envoie un ordre à son "ordinateur de bord" qu'est la moelle épinière, celle-ci exécute, aveuglément pourrait-on dire, cet ordre en mettant en œuvre le programme approprié.

En contrepartie, elle adresse au cerveau, de manière permanente, toute information sur les incidents éventuels qui émaillent l'exécution de l'ordre (obstacle imprévu, gêne, souffrance, douleur, etc.). C'est le cerveau qui décide alors de poursuivre ou d'arrêter l'ordre.

Ceci a une importance capitale. En effet, il arrive très fréquemment que nous persistions, malgré des signes de fatigue ou de souffrance, à nous tenir dans une position vicieuse, parce que nous en éprouvons un plaisir ou que nous estimons nécessaire d'agir ainsi. Un très grand nombre de maux de dos, les plus bénins surtout mais non les moins gênants, découlent directement de ce constat.

2) À l'inverse, puisque notre cerveau peut à tout instant mettre fin à une attitude ou à un

geste susceptible de provoquer de la douleur, nous ne devrions jamais souffrir.

Les choses se passent différemment dans la vie, comme on vient de le montrer. Mais il est parfaitement possible de parvenir à un comportement d'où seraient éliminées la plupart des causes de souffrance : il suffit d'une rééducation, avec un entraînement adéquat, de nos habitudes comportementales, de notre volonté.

C'est la base même des thérapeutiques préventives et curatives du mal de dos !

Un rôle plus étendu

Le rôle de la colonne vertébrale et de la moelle épinière ne se limite pas à la gestion globale et détaillée de la station érigée et des mouvements qui lui sont spécifiques. En effet, les nerfs du système neurovégétatif (sympathique et parasympathique), qui innervent tous les organes et viscères internes, forment des ganglions au voisinage immédiat des vertèbres ; ces ganglions, reliés d'un côté au plexus, se ramifient en longs filaments qui atteignent les organes et viscères en question.

Les ganglions végétatifs peuvent subir directement ou indirectement des lésions ou des perturbations diverses, résultant de perturbations au niveau des vertèbres (blocages vertébraux, compression par arthrose ou par hernie discale, lésion consécutive à un choc ou à un traumatisme, etc.).

Les atteintes des ganglions végétatifs entraînent automatiquement des dysfonctionnements des organes et viscères qu'ils innervent. De nombreux troubles dits "fonctionnels" ne s'expliquent pas autrement. Inversement, l'atteinte d'un organe peut provoquer, par un effet de feed-back ou de contre-réaction, des douleurs au niveau de la vertèbre correspondante, et passer pour des douleurs d'origine vertébrale.

Les traitements ostéopathiques sont fondés précisément sur ces bases physiologiques.

Correspondances entre vertèbres et organes

Voici les correspondances entre les vertèbres et les organes, avec l'indication des troubles les plus fréquemment induits en cas de perturbation des ganglions végétatifs siégeant à proximité de telle ou telle vertèbre.

Vertèbres cervicales

– 1ère vertèbre, C1 ou atlas : les nerfs issus du ganglion cervical supérieur, voisin de cette vertèbre, innervent en partie ou en totalité le cerveau, la face, le cuir chevelu, le nez, les yeux, les oreilles, la langue, le larynx, le pharynx, les amygdales, les bras.

● Les atteintes de tout élément de l'atlas peuvent être à l'origine de troubles de l'équilibre, de la mémoire, de vertiges, de névralgies faciales ou occipitales, de nausées.

– C2 ou axis : innervation des mêmes territoires et organes que C1, avec, en plus, les cordes vocales et une partie de l'estomac.

● Troubles : de la phonation, gastriques.

– C3 : tête, organes des sens (vue, ouïe, odorat, goût), dents et gencives.

- Troubles associés : migraines, céphalées, perturbations de l'odorat et du goût.
- C4 : innervation du diaphragme et de la thyroïde, et action sur la respiration.
  - Troubles entraînés par des compressions ou des lésions des éléments de C4 : principalement asthme, emphysème, dysfonctionnement de la thyroïde.
- C5 : thyroïde, organes situés dans la gorge, épaules, bras et mains, seins.
  - Agit sur les douleurs de l'épaule avec irradiation cervico-brachiale.
- C6 : innerve la glande thyroïde et les membres supérieurs.
  - On traite à ce niveau certains troubles du rythme cardiaque (tachycardies bénignes), douleurs siégeant à la jointure cervico-brachiale.
- C7 : innervation des yeux, des organes de la gorge, des seins, des poumons, des membres supérieurs.
  - Le blocage avec irritation de C7 peut être à l'origine de troubles cardio-vasculaires, pulmonaires, ou de fourmillements dans les bras. C'est au voisinage immédiat de C7, que se trouve le ganglion sympathique cervical inférieur.

Vertèbres dorsales

- 1ère vertèbre dorsale D1 : correspond avec la face, le cerveau, les oreilles, le nez, la bouche, la dentition, le cou, les nerfs crâniens, les membres supérieurs, la thyroïde, le cœur, le péricarde, le médiastin.

- Les perturbations affectant la charnière cervico-dorsale formée par C7 et D1 se traduisent par des troubles diffus plus ou moins sélectifs des organes et viscères qui leur correspondent.

— D2 : organes intéressés : cœur, poumons, thyroïde, oreilles.

- Agit sur la pression artérielle (hypertension) et l'état général des glandes mammaires.

— D3 : plexus solaire, poumons, plèvre, pylore, estomac, oreilles.

- Troubles gastriques et pulmonaires.

— D4 : poumons, cœur, foie, vésicule biliaire, thyroïde, bouche.

- Action sur la pression artérielle, le rythme cardiaque et le tonus du système sympathique dans son ensemble.

— D5 : plexus solaire, rate, gros vaisseaux sanguins de l'abdomen, œsophage, estomac, pancréas, duodénum.

- Agit sur le fonctionnement du diaphragme et du plexus solaire. Ses perturbations peuvent être à l'origine d'angoisses diffuses, de sensations d'oppression, de troubles gastriques.

— D6 : diaphragme, estomac, vésicule biliaire.

- Troubles gastriques et biliaires.

— D7 : diaphragme, duodénum, estomac, vésicule biliaire, rate, pancréas.

- Cette vertèbre est souvent le siège de douleurs provoquées par le phénomène de feed-back (répercussions à distance des troubles affectant les organes innervés par les nerfs végétatifs partant du ganglion de D7).

- D8 : mêmes organes que D7, avec en plus les glandes surrénales et leurs sécrétions (particulièrement l'adrénaline).
- D9 : diaphragme, rate, vésicule biliaire et canal cholédoque, foie, pancréas.
- D10 : foie, pancréas, reins, uretères, prostate, organes génitaux féminins, testicules.
  - Peut influencer négativement, en cas de perturbation de la vertèbre, les fonctions d'élimination rénales et de rétention hydrique.
- D11 : agit sur l'estomac, l'intestin grêle, les fonctions rénales, les uretères, la vessie, le péritoine, la prostate, l'épididyme, les trompes de Fallope et le col de l'utérus.
  - À surveiller attentivement.
- D12 : comme la précédente, souvent perturbée (charnière dorso-lombaire), son réseau végétatif couvre de nombreux organes : intestin grêle, péritoine, reins, vessie, uretères, membres inférieurs ainsi que la circulation lymphatique dans toute cette zone.
  - Exige un entretien minutieux.

Vertèbres lombaires

- 1ère vertèbre lombaire L1 : organes et territoires innervés : péritoine, intestin grêle et côlon, reins, vessie, organes génitaux, membres inférieurs. L1 est aussi fragile que D12 avec laquelle elle forme la charnière dorso-lombaire.

- Ses perturbations entraînent de fréquents troubles dans les organes concernés. À surveiller de près.

   – L2 : mêmes organes que L1, avec action privilégiée sur le côlon transverse.

   – L3 : tout l'appareil génital féminin et masculin, côlon descendant, membres inférieurs.

   – L4 : organes génitaux, segment terminal du côlon, nerf sciatique, membres inférieurs.

   – L5 : zone très sensible (charnière lombo-sacrée), intéressant tout particulièrement le nerf sciatique, le rectum, la vessie, les membres inférieurs.

Vertèbres sacrées

   – Les parties supérieure (correspondant à S1 soudée au reste) et inférieure (S4) intéressent par prédilection toute la sphère génitale et les membres inférieurs.

   – La partie médiane (S2 et S3) régit la région anale (hémorroïdes).

Coccyx

   – Cet os terminal, d'une très grande fragilité aux chocs et traumatismes, agit sur l'ensemble des organes situés dans le bassin.

- Point de fixation de la pie-mère en bas, tout trouble à son niveau ne manque pas d'entraîner des perturbations au niveau de la tête, du fait que la pie-mère est attachée au bord du trou occipital, en haut de la colonne vertébrale.

Ce bref aperçu sur la couverture nerveuse des ramifications issues des ganglions végétatifs montre l'étroite interdépendance qui existe entre

tous les organes et viscères et la charpente vertébrale.

Diverses techniques thérapeutiques (vertébrothérapie, réflexothérapie, massage réflexe, ostéopathie) utilisent cette relation pour traiter,
souvent avec succès, divers troubles ou maladies
résistants à d'autres thérapeutiques plus lourdes.

2è PARTIE

LE MAL DE DOS : SES PRINCIPALES FORMES ET LEURS CAUSES

La souffrance est un signal d'alarme

Toute douleur localisée à un niveau quelconque de la colonne vertébrale indique toujours un dysfonctionnement de l'un ou l'autre ou de plusieurs de ses éléments constitutifs (corps vertébral, disque, ligament, muscle, racine rachidienne...). C'est donc au niveau de ces éléments que l'on recherchera en premier la cause de la souffrance.

On doit se rappeler que la souffrance est un signal d'alarme qui informe notre conscient que "quelque chose ne tourne pas rond" dans notre organisme. Face à ce signal, l'attitude qui consiste à l'ignorer ou à le faire disparaître artificiellement en recourant à des médicaments anti-douleurs, est tout à fait irresponsable. Certes, il faut soulager la souffrance, au besoin avec des médicaments, mais il existe d'autres moyens naturels et beaucoup plus "doux", préférables.

Recherchez-en la cause et soignez-vous sans tarder

Mais on ne doit pas en rester là. Il est indispensable de chercher, de trouver la cause, puis de la soigner avec les moyens thérapeutiques appropriés. Si l'on n'agit pas ainsi, le mal ne fera qu'empirer et la souffrance, un moment calmée, ne manquera pas de resurgir plus vive, plus violente, plus insupportable que la première fois. Loin de guérir tout seul, le mal pourra encore affecter des organes épargnés jusque-là. On ne doit donc jamais traiter à la légère le mal de dos, même s'il est apparemment bénin et ne provoque pas une gêne ou un handicap important.

Pour la clarté de l'exposé, nous ferons une distinction entre les pathologies de nature générale qui peuvent affecter la colonne vertébrale dans le cadre d'affections osseuses générales, et les pathologies qui sont spécifiques à la colonne, mais à des degrés divers.

- Les pathologies générales avec incidences sur la colonne (notamment les arthroses, les arthrites et les "décalcifications" ou "déminéralisations") exigent des traitements médicaux particuliers. Nous ne ferons que les évoquer sommairement ici.

- En revanche, nous étudierons plus en détail les autres formes du mal de dos commun - elles sont nombreuses et beaucoup plus fréquentes que les précédentes.

I

Les pathologies générales

1 - Les arthroses

Nous employons le pluriel à dessein car si le processus arthrosique est toujours le même, les formes et les causes en sont variées.

Les formes d'arthroses

L'arthrose est un phénomène pathologique qui affecte le cartilage des articulations (pieds, genoux, hanches, épaules, coudes, mains, doigts, etc., et aussi vertèbres).

Le cartilage hyalin, composé de collagène, de protéoglycanes et de chondrocytes (5 % environ), ne possède ni vaisseaux sanguins, ni vaisseaux lymphatiques, ni réseau nerveux. Il est nourri par les tissus vascularisés et innervés, adjacents.

Dans l'arthrose, le tissus cartilagineux, qui forme une sorte de manchon à l'extrémité des os d'une articulation, présente une usure plus ou moins importante. Dans les cas extrêmes, l'usure est telle que le cartilage ayant partiellement ou totalement disparu, les os articulaires sous-jacents frottent directement l'un contre l'autre, ce qui provoque outre des douleurs terribles, un blocage de l'articulation lésée.

Dans certains cas particulièrement sévères d'arthrose de la hanche (ou coxarthrose), qui constituent une véritable infirmité, on doit recourir à la chirurgie afin de remplacer l'articulation défaillante par une prothèse mécanique artificielle.

Au niveau de la colonne vertébrale, l'arthrose peut être localisée sur les corps vertébraux (séparés par les disques qui jouent le rôle du cartilage) et/ou sur les articulations postérieures intervertébrales, qui sont, morphologiquement, identiques à toutes les autres articulations de l'organisme.

On notera que les articulations entre la base de l'occiput et l'atlas, et entre l'atlas et l'axis, toutes deux dépourvues de disques, sont des articulations simples : elles sont très fréquemment le siège de l'arthrose cervicale.

La "primitive" et la "secondaire"

L'arthrose peut être "primitive" : dans ce cas, on ne lui connaît pas de cause précise au sens médical. On incrimine le "vieillissement" de l'organisme, notion très vague et peu scientifique : en effet, on rencontre des arthrosiques primitifs jeunes, et au contraire des personnes fort âgées ne souffrant pas de cette affection, ce qui contredit formellement ce dogme du vieillissement - certains parlent même de dégénérescence ! - organique.

L'arthrose est dite "secondaire" lorsqu'elle apparaît à la suite d'un événement pathologique précis (traumatisme, lésion ostéopathique, etc.).

3 facteurs principaux

Les spécialistes ne sont pas unanimes quant aux causes véritables qui sont à la source du processus arthrosique. Mais on admet en général 3 facteurs principaux :

– un facteur génétique : l'hérédité jouerait un rôle important dans les arthroses primitives généralisées et/ou déformantes, avec une notion de terrain ou de prédisposition ;

– certaines malformations ou anomalies congénitales affectant la morphologie des articulations et les axes du corps ;

– les traumatismes : qu'ils soient violents et uniques, ou minimes mais répétés des mois, voire des années durant (traumatismes professionnels des ouvriers qui travaillent avec des marteaux-piqueurs, par exemple), les traumatismes finissent toujours par provoquer une usure plus ou moins lente des cartilages articulaires ou des disques intervertébraux. C'est dans ces formes d'arthrose que l'on voit apparaître sur les radiographies les fameux "becs de perroquet", qui sont des excroissances ou ostéophytes indolores et non générateurs de douleurs.

Un processus loin d'être élucidé !

Mais en fait, le processus arthrosique est loin d'avoir été élucidé. D'aucuns spécialistes avancent d'autres explications, comme le rôle de l'alimentation moderne dans les pays industrialisés (trop riche en lipides saturés et en protides), celui de la grande sédentarité, celui de l'excès pondéral et de l'obésité, etc.

On retiendra, cependant, 2 faits majeurs :

– L'arthrose, quelle que soit sa localisation, est une affection chronique, à évolution lente, d'allure "dégénérative", dont on peut limiter ou retarder les effets les plus néfastes grâce à divers traitements adéquats et surtout, par une saine hygiène de vie.

– L'arthrose est faiblement productrice de mal de dos : la plupart du temps, elle est "silencieuse" ou peu bruyante, pour reprendre les termes des rhumatologues ; autrement dit, elle ne fait pas souffrir, ou peu, directement. Toutefois, certaines localisations cervicales et lombaires de l'arthrose sont susceptibles de faire des poussées inflammatoires ou congestives qui sont très douloureuses, elles, mais transitoires.

2 - Les arthrites

Les arthrites sont des affections qui frappent les articulations, y compris celles de la colonne vertébrale. Elles sont de nature très différente des arthroses. Elles peuvent être d'origine inflammatoire (comme la spondylarthrite ankylosante ou la polyarthrite rhumatoïde), ou infectieuse (en rapport avec une maladie infectieuse générale, comme la tuberculose, la typhoïde, ou la syphilis, par exemple).

Apprenez à reconnaître leurs symptômes

Les symptômes des arthrites sont des douleurs d'un type particulier pouvant siéger dans la colonne vertébrale ou d'autres articulations. Ces douleurs sont de type inflammatoire :

– Elles se manifestent avec une vigueur accrue au cours de la deuxième partie de la nuit, puis s'atténuent spontanément au réveil avant de disparaître 1 heure ou 2 plus tard ;

– le patient ressent une raideur au niveau des articulations atteintes, mais une raideur très différente de la raideur provoquée par un blocage mécanique de l'articulation ;

– les douleurs s'accompagnent souvent, mais pas toujours, de névralgies de localisations diverses (sciatique, crurale, brachiale...) et parfois d'un état fébrile modéré.

– les articulations lésées, douloureuses à la palpation, présentent un aspect tuméfié, avec rougeur et chaleur plus ou moins prononcées.

Les arthrites exigent toujours des explorations et des analyses de laboratoire afin d'en déterminer la cause exacte, d'isoler le germe responsable. Compte tenu des dangers qu'elles peuvent représenter, le traitement médical est de rigueur.

Les 3 principales affections arthritiques

Voici, sommairement décrites, les 3 principales affections arthritiques pouvant avoir des localisations vertébrales :

La spondylarthrite ankylosante : symptômes et traitements

La spondylarthrite ankylosante, appelée aussi pelvispondylite rhumatismale, est une affection chronique qui frappe surtout l'homme jeune (de 20 à 30 ans), et dont l'étiologie, c'est-à-dire la cause, est inconnue. En l'absence d'un traitement adéquat, elle se traduit par une silhouette caractéristique du malade qui se tient le tronc exagérément incurvé en avant. Cette attitude est provoquée par la soudure de certaines vertèbres entre elles.

La maladie débute habituellement par des

douleurs dans la région lombaire et fessière, ou parfois à la face postérieure de la cuisse. La souffrance progresse vers le rachis intermédiaire et supérieur.

Les douleurs sont de type inflammatoire, atteignant un "pic" dans la seconde moitié de la nuit, puis s'atténuant au réveil, avant de disparaître progressivement au cours de la journée. La raideur du bas du dos acompagne souvent les douleurs, mais s'atténue et disparaît concomitamment.

La lésion arthritique intéresse tout particulièrement l'articulation sacro-iliaque, qui s'ankylose progressivement, ankylose qui atteint les articulations voisines.

En présence des symptômes mentionnés ci-dessus, la consultation médicale est absolument indispensable. La radiographie des régions concernées et les examens de laboratoire complémentaires permettent de formuler un diagnostic sûr. Un traitement adéquat, administré dès le début de la maladie, permet de sauver la colonne vertébrale, sans laisser de séquelle.

La tuberculose vertébrale : dépistage et traitements

La tuberculose vertébrale ou mal de Pott est due à une prolifération du bacille de Kock, qui infecte les tissus osseux, plus particulièrement les corps vertébraux des vertèbres.

C'est donc une affection secondaire à une tuberculose générale. Au cours des dernières décennies, elle avait considérablement régressé, en même temps que les autres formes de tuberculose. Mais on assiste depuis quelque années à une recrudescence de la maladie, que l'on attribue à la résistance des agents pathogènes aux antibiotiques (même les plus puissants).

Le mal de Pott se manifeste par des douleurs vertébrales avec des raideurs articulaires, une fatigue irrépressible, un amaigrissement assez marqué, une détérioration de l'état général, et de la fièvre modérée, surtout le soir.

 La consultation médicale est ici aussi impérative. La médecine dispose de toute une batterie de tests biologiques et de radiographies pour dépister la maladie très précocement. Bien traitée, elle guérit sans atteinte irréversible de la colonne vertébrale. Toutefois, une rééducation vigoureuse des muscles vertébraux et une reminéralisation du tissu osseux sont nécessaires pour faire régresser tous les signes de lésion.

La polyarthrite rhumatoïde : maladie de la ménopause

La polyarthrite rhumatoïde, ou polyarthrite chronique déformante, est une maladie chronique d'origine inconnue, frappant préférentiellement la femme au moment de la ménopause.

Elle débute de manière insidieuse et progressive par des synovites des articulations des membres. Dans un stade ultérieur, la maladie provoque la destruction des tissus cartilagineux et osseux et des atteintes ligamentaires, n'épargnant pas la colonne vertébrale, lésions qui entraînent des ankyloses, des déformations du squelette, causes d'une impotence plus ou moins sévère. Ce tableau clinique s'accompagne de douleurs violentes et permanentes, d'une altération de l'état général avec fréquemment des poussées de fièvre suivant l'évolution par à-coups de la maladie.

On a observé une influence climatique très nette (surtout par temps froid et humide) sur cette évolution.

 Bien entendu, la consultation et le traitement médical le plus strict sont de rigueur.

3 - Les "décalcifications" ou "déminéralisations"

Tous les os du corps sont constitués par des cellules particulières dont la trame conjonctive est infiltrée par des sels complexes associant notamment du calcium et du phosphore, minéraux qui donnent à ces cellules leur structure solide, rigide et blanche.

Comme la plupart de nos cellules, celles de l'os vieillissent et doivent être remplacées par de nouvelles, toute la vie durant. La fabrication de ces nouvelles "briques" de l'os exige la présence en quantité suffisante de la base protéique, de calcium, de phosphore et de vitamine D (présente dans certains aliments, mais surtout synthétisée par la peau grâce au rayonnement ultraviolet du soleil).

Si l'un de ces éléments venait à manquer, pour une raison ou pour une autre, la qualité de l'os en serait altérée plus ou moins gravement.

Constitution des os

Rappelons que les os ne sont pas constitués comme des briques pleines, uniformément denses à l'intérieur comme à l'extérieur. Leur partie centrale est formée d'un tissu osseux spongieux, appelé os trabéculaire (du latin trabecula = petite poutre).

En effet, l'os trabéculaire est formé d'un réseau à 3 dimensions, très dense, de travées délimitées par de "petites poutres" dures, riches en minéraux. L'entrecroisement des poutres de la tour Eiffel ou d'un pont métallique, ou encore les structures en métal (aluminum) ou en carbone dites "en nid d'abeilles", utilisées dans l'industrie aérospatiale, les voitures de Formule 1 ou les bateaux de course, donne une assez bonne idée de ce type de construction, destinée à résister à de formidables pressions.

L'os trabéculaire est enserré dans le tissu osseux plus compact, l'os dit cortical, qui fait fonction de rempart ou de bouclier. On notera que l'os trabéculaire et l'os cortical sont construits avec les mêmes cellules osseuses de base ; autrement dit, s'il y a un défaut de fabrication de ces cellules, c'est l'os dans son ensemble qui en pâtira.

La décalcification et la déminéralisation accusées de 1.000 maux

C'est le défaut de fabrication des cellules osseuses que l'on appelle communément la "décalcification" ou la "déminéralisation", car les éléments qui manquent à la construction de cellules normales sont le phosphore et surtout le calcium. Sous le couvert de ces notions vagues, on a, pendant très longtemps, attribué à la décalcification ou à la déminéralisation tous les troubles du squelette, et singulièrement la plupart des maux de dos. Un enfant ou un adolescent se plaignait-il de son dos, qu'aussitôt c'était la faute à la déminéralisation ; une personne d'âge mûr, surtout si c'était une femme, se trouvait-elle handicapée par un "mal aux reins" que rien ne soulageait, qu'on accusait la décalcification !

La réalité est autre, comme bien souvent. Tant de causes si différentes peuvent être à l'origine du mal de dos. Cependant, un déficit en calcium et/ou en phosphore peut effectivement entraîner un processus de décalcification qui fragilise dangereusement les tissus osseux, et produit indiscutablement de violentes et tenaces douleurs vertébrales et même de sévères handicaps.

Les 2 formes de décalcification

Il existe donc 2 formes spécifiques de décalcification :

a) L'ostéomalacie

Dans cette affection, l'apport en calcium, en phosphore et en vitamine D est nettement insuffisant par rapport aux besoins du sujet. L'os est d'aspect normal. Le nombre et l'épaisseur des travées osseuses de l'os trabéculaire sont respectés. Mais la calcification de la matrice protéique du tissu osseux est anormale, et constitue une lésion.

C'est exactement le même processus pathologique que l'on observe chez l'enfant atteint de rachitisme (l'ostéomalacie est d'ailleurs considérée comme le rachitisme de l'adulte, en quelque sorte).

L'ostéomalacie peut avoir plusieurs causes

– Déficit important de l'apport alimentaire en calcium et carence en vitamine D.

Ce phénomène s'observe :

- chez les individus qui suivent des régimes aberrants, sans lait, ni fromages, ni œufs ;

- chez les personnes aux revenus très faibles qui s'imposent des privations alimentaires ;

- parmi les personnes âgées seules, ne disposant pas d'une alimentation suffisante et variée et qui, de surcroît, restent cloîtrées dans des chambres sans soleil ;

- chez certaines femmes qui allaitent et ne pensent pas à compenser suffisamment la perte de calcium entraînée par l'allaitement.

— Malabsorption du calcium au niveau digestif : la malabsorption peut être liée à une maladie digestive ou rénale, ou survenir après une importante opération chirurgicale (comme l'ablation de tout ou partie de l'estomac ou de l'intestin grêle).

— Le déficit massif en vitamine D, indispensable pour la synthèse de la cellule osseuse normale, est plus rare, mais réel dans certaines circonstances (longue maladie, hospitalisation...).

 Le traitement de l'ostéomalacie est relativement simple et presque toujours positif : il s'agit d'apporter en quantités suffisantes, calcium, phosphore et vitamine D. Mais le rééquilbrage biologique exige un certain temps.

b) L'ostéoporose

Cette affection si fréquente et si redoutée (à juste raison) se caractérise par un amincissement des travées osseuses, avec parfois leur raréfaction, et un amincissement aussi des corticales, ce qui aboutit à une diminution du volume de tissu osseux dans un os donné, et/ou à une diminution globale de la masse osseuse considérée par rapport au corps dans son ensemble.

C'est ce que traduit bien le mot ostéoporose, avec cette idée de "porosité" des os.

L'évolution des os avec l'âge

Avant d'examiner les causes de cette maladie, source de souffrances vertébrales extrêmement pénibles dans une de ses formes, arrêtons-nous un instant sur l'évolution des os en fonction de l'âge.

– Jusqu'à l'âge de 20 ans environ, les os du squelette ne cessent de se renouveler en se renforçant, pour atteindre leur plein développement, à condition bien évidemment que le sujet ait une alimentation équilibrée et suffisamment riche en calcium, en phosphore et en vitamine D, et qu'il ait des activités physiques normales.

En effet, par les multiples et complexes phénomènes biochimiques et biologiques qu'elle induit, l'activité musculaire est indispensable à la reconstitution osseuse. L'expérience des cosmonautes qui séjournent longtemps en état d'apesanteur en a apporté une preuve irréfutable : comme leurs muscles travaillent peu en apesanteur, leur masse osseuse diminue fortement, exactement comme dans un processus "terrestre" d'ostéoporose !

– À partir de la trentaine, le renouvellement des tissus osseux s'effectue beaucoup moins rapidement, et cela en dépit d'un apport optimal de calcium, phosphore et vitamine D : l'organisme perd beaucoup plus de vieilles cellules osseuses qu'il n'en fabrique de nouvelles.

Le déficit de la masse osseuse qui s'ensuit, de l'ordre de 25 % à partir de 35 ans par rapport à ce qu'elle était à 20 ans, est plus ou moins précoce, plus ou moins accentué selon le matériel génétique de chacun, son alimentation, l'intensité de ses activités musculaires.

- Plus on avance en âge, plus la masse osseuse décroît en volume et en poids - c'est le lot commun à tous, et il n'existe à l'heure actuelle aucun moyen de s'opposer à cette évolution naturelle irréversible.

Cependant, les femmes après la ménopause connaissent une brusque accélération de la perte osseuse : leur masse osseuse n'équivaut plus qu'à 60 % de ce qu'elle était à l'âge de 20 ans ! La déperdition est énorme (40 %).

- Après 70 ans, le phénomène ostéoporosique touche les deux sexes, aggravant un peu plus le déficit féminin, ce qui explique la fréquence beaucoup plus élevée d'ostéoporose chez les femmes que chez les hommes : 8 cas contre 1. Cette fréquence élevée trouve, en partie, son explication dans l'arrêt de l'activité hormonale féminine (production d'œstrogènes).

Au demeurant, le traitement préventif et curatif est basé sur l'administration d'hormones sous contrôle médical vigilant (traitement qui a l'avantage, en outre, de prévenir aussi les maladies cardio-vasculaires).

- Sachez qu'1 femme sur 4 est considérée comme potentiellement susceptible de développer une ostéoporose du seul fait de l'arrêt de son activité hormonale œstrogénique. On parle donc de "femmes à risques".

Comment déceler l'ostéoporose ?

L'ostéoporose peut être décelée précocement par divers examens (densitométrie, analyse minérale de l'os par l'absorptiométrie biphotonique, radiographie aux rayons X, tomodensitométrie, etc.).

Ces examens devraient être systématiquement pratiqués sur toutes les personnes à risques (25 % des femmes après la ménopause, malades soumis à un traitement de longue durée à base de corticoïdes, sujets présentant des signes de décalcification...).

Il faut savoir que, sur le plan de l'économie sociale et sanitaire, l'ostéoporose coûte extrêmement cher aux collectivités, et ce coût ne fera qu'augmenter du fait que la population âgée de plus de 70 ans tend à croître considérablement dans les pays développés.

2 formes différentes d'ostéoporose

Sur le plan médical, et donc humain, cette maladie est une des plus handicapantes et des plus douloureuses qui soient. En fait, elle se présente sous 2 formes différentes : l'ostéoporose des os longs, dite corticale (c'est l'os externe, cortical qui est atteint), et l'ostéoporose trabéculaire (où la lésion est localisée principalement dans le tissu spongieux des travées).

L'ostéoporose corticale

L'ostéoporose corticale frappe surtout les os longs, en particulier le fémur. Très fragilisée, la paroi devient presque friable. À la moindre chute, c'est la fracture du col du fémur avec son cortège de douleurs, d'incapacités, d'autant plus gênante qu'elle intéresse des personnes âgées de 70 ans et plus, et souvent déjà dépendantes. De plus, l'accident entraîne indirectement le décès de 15 à 20 % des patients (principalement des femmes).

L'ostéoporose trabéculaire

L'ostéoporose trabéculaire nous concerne plus directement ici : en effet, elle touche essentiellement les vertèbres. Le renouvellement des cellules osseuses ne s'effectue plus normalement, à partir d'un certain âge, comme nous l'avons indiqué plus haut, et cela en dépit d'une alimentation correcte, avec des apports phospho-calciques et vitaminiques tout à fait satisfaisants.

Ce processus pathologique reste encore mystérieux. Le résultat n'en demeure pas moins grave. Devenues très minces, les travées trabéculaires résistent mal aux pressions qui s'exercent sur les vertèbres. Si un traitement adéquat n'est pas administré assez précocement, le moindre petit effort, comme le fait d'éternuer un peu fort, de tousser ou de se relever, provoque de mini-fractures d'abord au niveau de l'os spongieux, puis de l'os cortical plus tard.

Après quelque temps, ces petites fractures entraînent un affaissement, un tassement de toute la vertèbre. Et comme la maladie atteint plusieurs voire la totalité des vertèbres, le tassement peut affecter la colonne sur toute sa longueur : le malade peut voir sa taille se réduire de plusieurs centimètres au bout d'un laps de temps plus ou moins long (en général 2 ans ou plus). Dans le même temps, le dos commence à se voûter de manière caractéristique (hypercyphose dorsale avec rectitude ou effacement de la lordose lombaire).

L'ostéoporose trabéculaire se manifeste au début par une douleur diffuse et profonde sur toute ou partie de la colonne vertébrale. Ce sont les vertèbres lombaires et dorsales, les plus exposées aux chocs et aux pressions, qui sont atteintes en premier. Le patient se plaint donc de dorsalgies et de lombalgies.

À un stade avancé de la maladie, les douleurs sont très violentes ; elles s'atténuent lentement au bout de 3 semaines pour disparaître. Cependant, la chronicité guette le malade non ou mal soigné.

Prévention, dépistage et traitements

Encore une fois, la prévention et le dépistage précoce de cette maladie est essentiel pour éviter les complications. Le traitement hormonal devrait être systématique chez la femme ménopausée à risques. Un bilan biologique complet et des radiographies vertébrales tous les 2 ans sont recommandés pour tout le monde au-delà de la soixantaine.

 Le traitement de l'ostéoporose trabéculaire ou corticale consiste principalement en une rééducation musculaire (mouvements de

gymnastique appropriés), en soins kinésithé-
rapiques et massages pratiqués par un personnel paramédical spécialisé.

En outre, le régime alimentaire hypercalcique
(très riche en apports de calcium et de phosphore) est souvent prescrit simultanément. Ce
traitement, conduit sous contrôle médical,
sera maintenu aussi longtemps que le malade
pourra le tolérer.

Dès que vous avez mal, consultez votre médecin

En résumé, le mal de dos qui a son origine
dans un processus pathologique plus général (arthroses, arthrites, "décalcifications"), nécessite
l'intervention du médecin et un suivi médical
ponctuel ou au long cours, suivant les cas.

Compte tenu des possibles complications,
parfois plus dangereuses que le mal lui-même,
qu'une auto-médication maladroite ou mal adaptée peut entraîner, nous vous conseillons avec la
plus grande insistance une consultation médicale
systématique et préalable dans toutes ces circonstances, et chaque fois que vous avez un
doute quant à la nature du mal de dos dont vous
souffrez.

Bien entendu, lorsque le malade est un enfant
ou un adolescent, il faut impérativement consulter un médecin. Si le ou les parents ne sont pas
eux-mêmes médecins, ils feront courir le risque
d'un diagnostic fantaisiste aux conséquences imprévisibles.

II

*Le mal de dos
d'origine vertébrale*

Dans l'immense majorité des cas, le mal de dos a une origine vertébrale. Il est provoqué par de petits accidents de la vie quotidienne ou des atteintes, en général tout à fait bénignes, affectant un ou plusieurs éléments de la colonne vertébrale : tout ou partie d'une vertèbre malmenée, des ligaments étirés, des muscles froissés, des nerfs comprimés.

Que l'on se rassure donc ! Sans doute, avoir mal au dos est parfois très douloureux ; cela nous handicape dans nos relations, dans notre travail, dans nos activités les plus diverses. Mais cela est rarement méchant. Mieux, on peut se sortir tout seul de la plupart de ces situations pénibles qui pèsent tant sur notre humeur, notre joie de vivre.

Les différentes formes du mal de dos

Nous allons décrire dans les pages qui suivent les différentes formes du mal de dos commun, en précisant à chaque fois leur origine ou leur cause, les signes qui permettent de les distinguer les unes des autres, de manière à pouvoir mettre en œuvre la thérapeutique appropriée selon le cas.

Naturellement, lorsqu'il y a un risque de confusion avec une maladie plus sérieuse, vous trouverez les indications nécessaires pour vous guider. De toute manière, s'il devait subsister le moindre doute, il vous sera inlassablement rappelé que ce livre n'est pas destiné à remplacer le médecin, bien au contraire ; n'allez pas vous imaginez que vous allez "devenir un rhumatologue en 10 leçons" !

Le but recherché ici est double

– <u>Apprendre à identifier la nature d'un mal de dos</u>, afin de consulter sans attendre le médecin, si besoin est, avant que le mal empire (le dépistage et le traitement précoces évitent les complications et la chronicité) ;

– <u>Apprendre à se soigner soi-même, ou à faire appel à des thérapeutiques douces</u>, lorsque ce mal de dos ne présente pas un danger véritable pour la santé, mais n'occasionne qu'une simple gêne plus ou moins acceptable.

On s'épargnera ainsi d'encombrer les cabinets médicaux et les hôpitaux, ou pire de se transformer en "professionnel du mal de dos" : qui ne connaît pas dans son entourage cette caricature du malade qui se plaint à longueur de journée et d'année de souffrances insupportables "aux reins", se croit atteint d'une maladie incurable (au moins un cancer des os !), et qui finit par se convaincre que si les innombrables médecins qu'il a harcelés ne "découvrent pas sa maladie", c'est tout simplement parce qu'ils n'y connaissent rien, qu'ils sont incompétents, nuls !

À vrai dire, ce type de "patient" ferait mieux de consulter un psychothérapeute qui l'aidera bien plus efficacement qu'un rhumatologue ou un ostéopathe. De nos jours, il n'existe pas de mal de dos que l'on ne sache pas identifier à coup sûr (même si parfois, on en ignore encore l'étiologie), que l'on ne sache pas soigner avec succès.

10 formes de mal de dos

Par commodité et pour faciliter l'utilisation de ce livre pratique, nous avons choisi de regrouper les diverses formes de mal de dos dans l'ordre logique suivant :

1 - Le mal de dos résultant soit d'une malformation, soit d'une déformation de la colonne vertébrale.

2 - Le mal de dos en rapport avec une atteinte d'un ou de plusieurs disques intervertébraux.

3 - Le mal de dos commun, ou "dérangement intervertébral mineur".

4 - Les cervicalgies, ou maux de dos localisés sur la colonne cervicale.

5 - Les dorsalgies, dont le siège est la colonne dorsale.

6 - Les lombalgies, ou plutôt les sacro-lombalgies, qui sont ressenties au niveau de la colonne lombaire et la charnière lombo-sacrée, de loin les plus fréquentes.

7 - La coccygodynie, ou douleur siégeant au niveau du coccyx.

8 - Les névralgies d'origine vertébrale (atteinte de nerfs comme la sciatique, la crurale, etc.) ;

9 - Les maux de dos inclassables.

10 - Les causes générales productrices de dou-

leurs dorsales sans atteinte ou lésion de la colonne vertébrale (stress, spasmophilie, etc.).

1 - Les malformations et les déformations de la colonne vertébrale

La colonne vertébrale peut être affectée par des "troubles de la statique", autrement dit par des malformations ou des déformations du squelette qui font que celui-ci n'a pas ou n'a plus sa forme physiologique normale et présente une configuration morphologique inhabituelle.

La colonne peut ainsi être déviée latéralement (c'est la scoliose, voir page 184), s'arrondir (hypercyphose dorsale), se creuser ou se cambrer fortement au niveau du bassin (hyperlordose lombaire), perdre en partie ses courbures naturelles (c'est le dos plat).

Ces différentes anomalies, sans gravité en soi, sauf la scoliose chez l'enfant, ne sont pas directement douloureuses ; mais avec l'âge et en devenant chroniques (en l'absence d'un traitement destiné à rectifier l'attitude), elles peuvent être à l'origine d'un mal de dos d'autant plus tenace que la cause est difficile à traiter.

La scoliose

La scoliose est une déformation de la colonne vertébrale qui présente un aspect tordu, en forme de S, lorsqu'on regarde la radiographie (voir schéma page 184).

Cette affection touche 2 à 3 % de la population en France. En fait, il existe 2 formes de scoliose :

– Il y a la forme la plus bénigne appelée "attitude scoliotique" : elle résulte d'une adaptation malheureuse de la colonne à une position habituellement vicieuse du sujet. C'est le cas, par exemple, de l'individu qui lit ou étudie en se penchant toujours du même côté, à droite ou à gauche, au lieu de se tenir droit, face au bureau. À la longue, la colonne se dévie donc d'un côté.

L'attitude scoliotique ne provoque pas de lésions ni de déformations des vertèvres. Non douloureuse, elle peut toutefois, dans certaines circonstances comme le fait d'effectuer un effort violent du côté opposé au sens de la déviation, être à l'origine d'incident douloureux (micro-déchirures musculaires, élongation de ligaments, etc.).

– La seconde forme de scoliose, la "scoliose vraie" dite encore "scoliose structurale", est en revanche beaucoup plus redoutable. D'autant qu'elle apparaît quasiment toujours pendant l'enfance et l'adolescence, à un âge où le squelette est en plein développement, donc encore malléable.

Ce type de scoliose provoque des déformations plus ou moins graves des vertèbres et bien sûr de la colonne. Elle s'accompagne le plus souvent d'une gibbosité[1] au niveau de la charnière cervico-dorsale, entraînant une déformation de la cage thoracique.

En période de croissance, la scoliose vraie non traitée médicalement ne fera que s'aggra-

---

1 Courbure anormale formant une bosse.

ver. On doit donc faire appel au médecin dès l'apparition du premier signe scoliotique : la plus "petite" scoliose, que l'on serait tenté de croire inoffensive, mais qui, en fait, ne régressera jamais spontanément, peut aboutir à une déformation définitive de la colonne vertébrale et à des troubles douloureux chroniques à l'âge adulte.

Heureusement, traitée précocement, elle disparaît sans laisser de séquelles (voir aussi le chapitre consacré au mal de dos de l'enfant).

5 facteurs à l'origine d'une scoliose

Plusieurs facteurs peuvent être à l'origine d'une scoliose, en particulier :
- la luxation congénitale de la hanche ;
- pieds et/ou jambes asymétriques : un pied plat, l'autre normal ; une jambe plus courte que l'autre ;
- blocage vertébral dû à un effort, à un choc, un traumatisme ;
- blocage du bassin d'un côté à la suite d'une mauvaise chute sur un genou, une hanche, ou une fesse ;
- lésions localisées dans un pied, comme de petites fractures des os d'un pied, écrasement d'un talon, rétraction de ligaments articulaires au niveau d'un genou, port de chaussures inadaptées lésant un pied un peu plus grand ou plus large que l'autre, etc.

Ces lésions peuvent passer inaperçues pendant longtemps. C'est pourquoi toute anomalie de la posture d'un enfant doit être signalée sans délai au pédiatre, qui demandera des ra-

diographies appropriées de la colonne vertébrale, le cas échéant.

La "jambe courte"

Encore un mot pour en finir avec la scoliose.
Nous venons de citer parmi les causes de cette
déformation la "jambe courte".

Les personnes qui souffrent de cette malformation congénitale ont tendance à accuser la
jambe courte de tous leurs maux de dos. Il est
vrai que la logique élémentaire leur donne raison : reposant sur 2 supports (les jambes) d'in-
égale hauteur, le bassin ne peut en effet être
parfaitement horizontal, ce qui est sa vocation
naturelle ; par voie de conséquence, la colonne
vertébrale qui s'appuie sur ce socle, en déséquilibre, avec le sacrum ne peut être droite et penche d'un côté.

Forcément, pense-t-on, cette malposition de
la colonne est la source de tous les maux du dos.
Aussi cherche-t-on à rétablir à tout prix l'équilibre de l'ensemble bassin-colonne. On prescrit le
port d'une chaussure orthopédique avec talon réhausseur au pied le plus court... qui ne libère pas
pour autant le sujet de ses souffrances dorsales !

En réalité, les choses sont moins simples.
D'une part, la différence entre les 2 jambes est
de l'ordre de 1 à 2 cm tout au plus. D'autre part,
cette différence n'est pas perceptible à l'œil nu :
elle est, le plus souvent, découverte fortuitement
à l'occasion d'une radiographie des membres inférieurs prescrite à un adulte pour une tout autre
raison. Or, après 20-25 ans, la période de croissance est terminée : la colonne vertébrale de

l'adulte souffrant d'une jambe courte s'est donc adaptée "silencieusement" à cette anomalie. Le port d'un talon réhausseur n'a plus aucun intérêt ; au contraire, la "talonnette" ou la semelle compensatrice peut provoquer des déséquilibres vertébraux qui n'existaient pas jusque-là.

Donc, si un sujet adulte ayant une jambe courte souffre du dos, on doit rechercher une autre cause à son trouble.

En revanche, la découverte d'une jambe courte chez l'enfant ou l'adolescent doit inciter à consulter un spécialiste, même en l'absence de douleurs du dos. Lui seul jugera de l'opportunité ou non de porter des chaussures orthopédiques adéquates.

Le dos rond ou hypercyphose dorsale

Cette déformation de la colonne vertébrale fait peu souffrir, malgré les apparences. Elle est de nature différente selon l'âge.

Le dos rond de l'adolescent

Le dos rond de l'adolescent, appelé aussi épiphysite vertébrale, cyphose douloureuse des adolescents ou encore maladie de Scheuermann (du nom du médecin qui la décrivit pour la première fois dans les années 20), est une affection vertébrale spécifique.

Elle se caractérise par des atteintes des plateaux (supérieur et inférieur) des corps vertébraux. Le cartilage qui recouvre ces plateaux est lésé de manière irrégulière au cours de sa phase de formation. Des zones de faible résistance apparaissent.

Au cours d'efforts même modérés, le cartilage se fissure ; sous la pression, une petite partie du disque intervertébral passe à travers cette fissure et se loge dans l'os spongieux. À la radiographie, le phénomène s'observe nettement.

Cette affection se traduit par des douleurs modérées et relativement peu fréquentes (dans 20 % des cas seulement), qui surgissent lors d'un effort ou au cours d'une longue position assise. De durées variables ensuite, les douleurs sont plus marquées au réveil, puis s'atténuent sensiblement dans la matinée ; les récidives sont fréquentes dans la journée, en cas de surmenage physique ou de fatigue.

Outre ces douleurs supportables, somme toute, la cyphose douloureuse des adolescents peut avoir une autre conséquence : la constitution irréversible du dos rond, terreur des mères de famille. En effet, les lésions du cartilage des plateaux des corps vertébraux empêchent, au niveau de la zone de croissance, la formation et le développement normal de la vertèbre. Celle-ci prend alors une forme inhabituelle, typique, dite "en coin" : elle est plus basse dans sa partie antérieure que dans sa partie postérieure.

L'empilement de vertèbres de cette conformation dessine donc une courbure postérieure très marquée, qui donne le dos rond. L'évolution de la maladie se termine avec la fin de la croissance. Mais les lésions acquises sont irréversibles, quoique indolores. L'affection se traduit, néanmoins, par une certaine disgrâce de la silhouette, qui peut avoir des effets psychologiques négatifs sur le sujet et même sur son entourage affectif.

Comme le dos rond de l'adolescent peut être très facilement corrigé grâce à divers exercices (rééducation des ligaments vertébraux, des muscles extenseurs du dos et de la cuisse, notamment) et traitements simples (principalement reminéralisation intensive par le biais de l'alimentation et d'apports complémentaires), il est impératif de le détecter précocement et d'agir en conséquence. Le rôle des parents et de la médecine scolaire est essentiel à cet égard.

Le dos rond de l'adulte

Le dos rond de l'adulte (de 25 à 65 ans environ) est le simple prolongement du dos rond de l'adolescent, quand celui-ci n'a pas été traité convenablement ou pas du tout. Il ne génère aucune douleur directement, mais peut être un facteur déclenchant chez des sujets souffrant d'autres anomalies vertébrales.

La voussure s'accentue, naturellement, avec l'âge, et l'on peut rencontrer des individus relativement jeunes (40-50 ans) avec des dos voûtés comme des vieillards. En tout état de cause, l'hypercyphose de l'adulte ne régressera plus, en dépit de tous les traitements possibles et imaginables.

D'où, encore une fois, l'importance de traiter l'hypercyphose de l'adolescent dès les premiers signes.

Le dos rond de la personne âgée

Le dos rond de la personne âgée peut être la suite du dos rond de l'adulte. Mais il existe d'autres formes, notamment une forme "normale" liée au vieillissement général de l'organisme : la taille des vertèbres et des disques diminue ; l'usure de ces derniers se produit le plus souvent sur la partie antérieure, reproduisant à une moindre échelle le syndrome du dos rond de l'adolescent.

Plus rarement chez l'homme que chez la femme, le dos rond des vieillards découle d'une ostéoporose, ou d'une simple décalcification, sans provoquer de douleurs particulières, du moins directement.

Le bassin trop cambré ou hyperlordose lombaire

Pour illustrer cette anomalie statique fréquente de la colonne vertébrale, rappelons le souvenir de la phénoménale "vénus hottentote" qui s'exhibait à Paris dans les "années folles". Cette jeune femme, originaire du sud de l'Afrique, avait une cambrure des reins si prononcée que, se tenant le buste bien droit, on pouvait poser sur le bas de ses reins plusieurs verres remplis : ils tenaient parfaitement en équilibre, même lorsqu'elle se déplaçait de quelques pas !

Il ne semble malheureusement pas que quelqu'un ait eu l'idée de radiographier sa colonne lombo-sacrée, à notre connaissance. Cela nous aurait sans doute éclairé sur la nature de cette hyperlordose exceptionnelle, digne du cirque Barnum !

"Les reins trop cambrés" du modèle ordinaire, courant, ne présentent heureusement pas un creux aussi extraordinaire. On doit d'abord se méfier d'une méprise fréquente. Il arrive que l'on soupçonne telle personne de souffrir d'une hyperlordose lombaire, alors que, en réalité, elle possède simplement une musculature fessière particulièrement développée, rebondie - cause de l'illusion !

La vraie hyperlordose lombaire, c'est-à-dire l'accentuation plus ou moins exagérée de la lordose ou courbure physiologique normale des vertèbres lombo-sacrées, n'est visible qu'à la radiographie. Elle peut, d'ailleurs, rester très discrète, en apparence, presque imperceptible.

Les causes et les conséquences de cette déformation

Les causes de cette déformation de la colonne lombo-sacrée sont très diverses.

– L'hyperlordose lombaire est souvent secondaire à une hypercyphose cervico-dorsale (forme classique en S de la colonne vertébrale). Elle se constitue, dans ce cas, comme un phénomène de compensation à la première déformation dont elle tente de rectifier les anomalies de répartition des charges et des pressions. Moins l'hypercyphose sera prononcée, moins l'hyperlordose sera elle aussi accentuée.

L'ampleur des gênes, troubles et douleurs, éventuellement, est toujours proportionnelle à l'amplitude des 2 déformations. Mais en général, le retentissement pathologique est tout à fait modéré, voire insignifiant.

– Une autre cause fréquente de la cambrure excessive des reins est le relâchement ou l'atrophie des muscles de la ceinture abdominale ; l'excès pondéral, avec ou sans "brioche", ne fera qu'aggraver la situation.

En effet, le poids des viscères abdominaux (et

de la graisse superflue de cette région) n'étant plus suffisamment supporté par les muscles de l'abdomen, pèse sur les muscles extenseurs du dos et des cuisses ; ceux-ci "tirent" au maximum l'ensemble abdomen-colonne vertébrale vers l'arrière. Les muscles profonds et les ligaments de la région lombosacrée sont en hyper-contraction quasi permanente. Il s'ensuit une fatigue.

Par compensation, la charnière lombo-sacrée se creuse alors de plus en plus, et c'est l'hyperlordose qui s'installe. Dans cette forme, les articulations postérieures vertébrales de D12-L1 et L5-S1 sont énormément sollicitées. Une usure prématurée des cartilages s'ensuit, prélude à une arthrose lombo-sacrée.

Il va de soi que ce processus aboutit à des douleurs "aux reins" d'intensité variable selon les efforts demandés à la colonne, et selon l'état des cartilages. Dans certains cas, assez rares, les apophyses épineuses viennent même frotter l'une contre l'autre, aggravant un peu plus le tableau.

– Une autre conséquence observée parfois est le pincement des disques intervertébraux en arrière, au voisinage du canal rachidien.

Sauf accident, les hernies discales sont très rares, néanmoins.

 Le traitement consiste d'abord en une rééducation et un renforcement de la musculature abdominale par des exercices adéquats, et simultanément, en un régime alimentaire à la fois hypocalorique (pour perdre les kilos en trop) et intensivement reminéralisant (pour favoriser la reconstitution des cellules osseuses, musculaires et ligamentaires).

– Une autre forme d'hyperlordose lombaire intéresse plus spécialement les sujets jeunes, encore en période de croissance, qui pratiquent avec une certaine intensité des sports où prédominent les mouvements d'extension (comme le judo, la gymnastique, par exemple).

La déformation découle directement de la répétition de ces efforts musculaires assez violents, qui sont d'autre part producteurs de micro-traumatismes.

La combinaison hyperlordose-micro-traumatismes à répétition aboutit, après un temps plus ou moins long, à l'apparition d'une spondylolyse : celle-ci consiste en une fissure ou en plusieurs micro-fissures de l'isthme d'une ou de plusieurs vertèbres lombaires (l'isthme est la partie de la vertèbre qui relie le corps vertébral à l'arc postérieur).

Ce trouble indolore peut demeurer "silencieux" toute la vie durant. Cependant, lorsqu'il concerne le disque intervertébral séparant L5 et S1 (cas le plus fréquent), celui-ci subit une détérioration très nette. À la suite de cette atteinte, le corps vertébral de L5 et de S1 a tendance à fuir en avant.

Ce phénomène pathologique donne une image radiographique de la région où l'on a l'impression que la vertèbre s'échappe, glisse vers l'avant. C'est ce que les spécialistes appellent un spondylolisthésis.

Il est évidemment impératif d'arrêter le ou les sports en cause. Toutefois, cette déformation peu ou pas douloureuse peut être supportée toute une vie sans dommage. En de très rares cas, l'intervention chirurgicale peut être envisagée.

Le dos plat

Il peut arriver que les courbures physiologiques normales, au lieu de s'accentuer comme dans les hypercyphoses et les hyperlordoses, perdent au contraire leurs incurvations et tendent à devenir presque droites : c'est ce que l'on appelle le dos plat. La colonne vertébrale prend, dans ce cas, l'allure d'un piquet plus ou moins rectiligne.

Cette anomalie statique est presque toujours consécutive à des postures, des attitudes rigides, sans rapport avec une atteinte ou une lésion des éléments vertébraux.

En soi, le dos plat ne fait pas souffrir. Mais à la longue, surtout lorsqu'il est apparu chez un jeune adulte, il peut être à l'origine de douleurs lombaires : les disques intervertébraux de cette région supportent la quasi totalité des poids et des pressions (judicieusement répartis entre tous les segments de la colonne, normalement). Les disques s'usent donc plus vite ; certains se fissurent et peuvent provoquer des blocages intervertébraux.

L'arthrose lombo-sacrée, au niveau des articulations vertébrales postérieures, constitue une autre menace dans le dos plat.

 Le seul traitement véritablement efficace en la circonstance est la rééducation musculaire de tout le dos, afin de rétablir, au moins partiellement, les courbures initiales. La kinésithérapie peut contribuer aussi à combattre la rectitude dorsale.

2 - Le disque malade, grand pourvoyeur du mal de dos

Le disque intervertébral est l'élément essentiel de tout l'édifice vertébral. Sans lui, la station debout serait impossible. C'est justement parce qu'il est si indispensable qu'on le considère comme le responsable par excellence de tous les maux du dos, mais aussi, à tort, comme un "bouc émissaire" idéal, bien commode en vérité !

À la moindre douleur dorsale, on parle de pincement de disque, de hernie discale, de blocage, d'écrasement, de fissures, de décalcification, que sais-je encore ! Et bien entendu, comme d'habitude, ces accusations ne sont pas souvent fondées.

Il n'empêche que les lésions ou les atteintes du disque produisent indiscutablement des douleurs, des déformations de la colonne vertébrale, parmi les plus insupportables.

Il est très résistant   Rappelons d'abord l'essentiel de ce que l'on a dit, en 1ère Partie, de son anatomie et de son rôle. Il se compose d'un noyau gélatineux entouré d'un anneau fibreux très résistant. Cette résistance exceptionnelle lui permet d'amortir les chocs et les pressions énormes qu'il subit.

Pour avoir une idée de cette résistance, essayez donc de placer un doigt sur une table et posez dessus un poids de 100 kg : vous ne supporteriez pas ce supplice plus de quelques secondes, et votre doigt en ressortirait meurtri, écrasé. Or, ce sont des centaines de kilos qui pèsent sur le disque, parfois pendant des laps de temps très longs.

De toute manière, il est en permanence comprimé sous des poids de plusieurs dizaines de kilos, même en l'absence de tout effort physique, comme lorsque nous sommes tranquillement allongé sur notre lit ! Cela nous montre à quel point sa fragilisation même minime est toujours un risque de dysfonctionnement de la colonne vertébrale.

Le point le plus fragile du disque est la partie arrière de l'anneau, celle qui se trouve au contact du ligament commun postérieur (très innervé), sur le bord du canal rachidien. C'est à cet endroit que, d'une part, se situe l'unique portion innervée du disque (donc sa partie la plus sensible) ; d'autre part, c'est là que les fibres de l'anneau sont le moins solidement fixées aux parois des corps vertébraux ; et enfin, pour compliquer un peu plus les choses, c'est là que passent les racines nerveuses qui partent de la moelle épinière, racines hypersensibles naturellement !

Mais il s'use avec l'effort

Nous savons que, dans la vie quotidienne, les mouvements que nous effectuons le plus souvent sont ceux de flexion : on se penche tout le temps en avant, le redressement n'étant alors que le rétablissement normal de la colonne pour retrouver la posture verticale.

Les mouvements nécessitant une extension volontaire, quand on fait basculer le tronc vers l'arrière par rapport à l'axe du corps, sont beaucoup plus rares.

Que se passe-il, d'un point de vue strictement mécanique, lorsque l'on fléchit le tronc ? Les corps vertébraux se rapprochent sur leur partie antérieure, et s'éloignent en arrière, un peu comme lorsque nous ouvrons une pince à linge en appuyant sur les branches avec le pouce et l'index ; cette pression fait que les branches se rapprochent, tandis que les mâchoires "baillent", en s'écartant l'une de l'autre.

Pendant ce mouvement, le disque, intercalé entre les plateaux de 2 corps vertébraux adjacents, est donc comprimé sur la partie antérieure de l'anneau ; cette compression "pousse" le noyau vers l'arrière ; là, il exerce à son tour une compression latérale sur la partie postérieure de l'anneau, qui fait fonction de butoir l'empêchant de sortir.

Tout se passe très bien, tant que le noyau est parfaitement élastique et que les fibres de l'anneau sont fortes et souples en même temps.

Or, nous répétons ces mouvements de flexion des centaines, voire des milliers de fois chaque jour de notre vie, le plus souvent sans même en avoir conscience.

À la longue, les fibres de l'anneau finissent par se distendre, par s'aplatir (comme un coussin trop utilisé qui perd de son épaisseur), par ne plus opposer qu'une faible résistance à la poussée du noyau. Celui-ci, de son côté, constamment soumis à de fortes pressions, perd de son élasticité, se déshydrate, s'use, s'abîme.

Toute la "discopathie", c'est-à-dire l'ensemble des atteintes ou lésions susceptibles d'affecter le disque intervertébral, trouve sa source dans ce jeu mécanique indéfiniment répété (si l'on excepte quelques très rares cas relevant de pathologies générales).

Avec l'âge, n'allez pas au-delà de vos limites

Aussi longtemps qu'un individu s'impose des limites raisonnables à ses efforts physiques, ses disques intervertébraux demeureront fonctionnels de manière satisfaisante.

Bien sûr, avec l'âge, ils vieilliront, comme tout le reste de l'organisme. Les noyaux et les anneaux discaux subiront de petites détériorations. Mais, en dehors d'autres lésions ou atteintes vertébrales parallèles (micro-traumatismes, début d'arthrose, etc.), ces détériorations n'auront aucune répercussion pathologique notable.

Là où le drame se noue, c'est quand un sujet de 45-50 ans s'imagine en état de faire des efforts violents comme lorsqu'il avait 25 ans (par exemple, soulever à bout de bras une charge de plusieurs dizaines de kilos). Voici le scénario "catastrophe" qui se produit alors :

Le sujet étant en flexion avec charge, une forte pression s'exerce sur les vertèbres lombaires basses et le sacrum (surtout S1). Le noyau d'un disque (mais cela peut concerner plusieurs disques à la fois) est violemment repoussé en arrière. Il bute contre la partie périphérique postérieure de l'anneau. Or, celui-ci est plus ou moins fendillé ou fissuré, surtout dans cette zone sensible (altération normale qui survient chez tout le monde vers la quarantaine environ). Sous la violence de la pression, une partie du noyau pénètre alors dans une des fissures de l'anneau, à la manière d'un coin que l'on enfonce dans une bûche : c'est ce que les spécialistes appellent une protrusion. Les fibres de l'anneau forment une sorte de renflement en arrière.

Cet accident, beaucoup plus fréquent qu'on l'imagine, peut être totalement inoffensif, sans aucune manifestation douloureuse. Après un temps plus ou moins long, le noyau reprend sa forme initiale et réintègre sa place, en se retirant de la fente. Les choses rentrent dans l'ordre.

Mais il arrive que la protrusion soit plus volumineuse et localisée au "mauvais endroit", et dans ce cas, cela se passe fort douloureusement !

En effet, lorsque la partie du noyau enfoncée à travers une fissure de l'anneau atteint les fibres les plus superficielles, celles qui sont innervées, on ressent immédiatement une vive douleur, comme une brûlure. Cela ne s'arrête pas là. Ces fibres innervées et douloureuses sont comprimées contre le ligament commun postérieur, littéralement couvert de terminaisons nerveuses ultra-sensibles : et c'est le clash, un peu comme dans un court-circuit. La douleur est extrêmement violente, en coup de poignard !

La douleur provoque instantanément une contraction très forte des muscles vertébraux, qui deviennent d'une incroyable dureté. Cette réaction musculaire réflexe, destinée à soulager le disque lésé de toute pression verticale, empêche tout mouvement de la colonne vertébrale qui pourrait aggraver la souffrance. Mais, ce faisant, cette sorte de verrouillage musculaire immobilise la partie du noyau "protrusée" dans sa malencontreuse position. En perdurant, la douleur gagne les territoires nerveux voisins. Le corps de la victime prend alors une attitude caractéristique dite position de blocage antalgique, le tronc penché légèrement en avant et sur le côté.

Le lumbago

Ce que nous venons de décrire est le lumbago classique aigu ou suraigu. C'est l'aboutissement le plus douloureux du même processus qui préside aux autres lésions ou atteintes habituelles du disque intervertébral. Simplement, ce processus peut être déclenché par d'autres causes qu'un effort physique violent et bref, comme dans le lumbago. En effet, l'"écrasement du disque" correspond à un tassement, à une diminution de l'épaisseur du disque, qui peut-être due à des micro-fissures, à des traumatismes répétitifs, mais n'entraînant pas de déplacement ou de fuite d'une partie du noyau à travers l'anneau.

Ce que l'on appelle communément un "pincement discal" n'est rien d'autre que la phase du lumbago avant la protrusion d'un fragment du noyau ; le pincement peut être provoqué aussi par une altération des articulations vertébrales postérieures (en cas d'arthrose), ou encore par une attitude vicieuse de la colonne lombo-sacrée (observée dans certains métiers et professions).

La hernie discale

La hernie discale n'est autre que la constitution d'un renflement, visible sur la radiographie, d'un anneau discal sous la poussée du noyau ; elle peut être plus ou moins prononcée, douloureuse ou non, et entraîner des irritations de certains gros nerfs provoquant de terribles névralgies (sciatique, crurale, etc.) sur lesquelles nous reviendrons plus loin.

Le blocage intradiscal désigne la phase où le noyau protrusé est maintenu dans une position douloureuse par le verrouillage musculaire des muscles vertébraux.

En résumé donc, on retiendra que les disques intervertébraux, à la fois très robustes et fragiles, sont des producteurs directs de certaines douleurs dorsales très violentes. Leurs atteintes ou lésions peuvent être à l'origine, indirectement, d'autres troubles. Mais ils ne sont pas responsables de tous les maux de dos !

3 - Le "Dérangement Intervertébral Mineur"

C'est au Pr Robert Maigne que l'on doit la notion de "Dérangement Intervertébral Mineur" (D.I.M.). Cet éminent rhumatologue français, qui a longtemps pratiqué son art avec un succès incontestable à l'Hôtel-Dieu de Paris, a mis au point une nouvelle approche de la médecine de la colonne vertébrale, grâce à cette notion.

Voici la définition qu'il en a donnée :

"Je définis (les souffrances segmentaires bénignes de la colonne) comme des dysfonctions douloureuses et bénignes du segment vertébral, de nature mécanique. En quelque sorte des mini-entorses."

Par segment vertébral mobile, il faut entendre l'"ensemble constitué par 2 vertèbres adjacentes et par tout ce qui les unit (disques, articulations, ligaments) et les fait se mouvoir l'une sur l'autre (muscles)".

Pour le profane, ces quelques lignes peuvent paraître un peu obscures ; leur intérêt ne saute pas aux yeux d'emblée. Mais en réalité, il s'agit bien d'une petite révolution. Pourquoi ?

Les problèmes vertébraux vus sous 2 angles principaux

Jusque-là, on abordait les "problèmes" vertébraux sous 2 angles principaux :

– D'une part, on distinguait les affections et lésions vertébrales liées à des processus pathologiques généraux connus, comme l'arthrose, l'arthrite, les fractures osseuses, les déchirements ligamentaires ou musculaires, etc.

– D'autre part, on s'attachait à examiner indépendamment chaque élément de la colonne vertébrale pour déterminer la cause d'un mal de dos :

● par exemple, si le mal de dos est localisé dans la région lombaire, on incrimine d'office les vertèbres lombaires ou sacrées ;

● si c'est au niveau du cou que l'on souffre, on accuse les vertèbres cervicales ;

● et ainsi de suite...

Ces 2 approches ont permis, certes, de soigner un très grand nombre de douleurs vertébrales. Mais de très nombreux patients sont repartis (et repartent trop souvent encore) du cabinet du rhumatologue ou de l'ostéopathe avec leur souffrance, parce que l'on ne parvient pas à situer précisément la cause du trouble. D'autant moins que les mini-entorses du segment vertébral sont très rarement visibles sur les radiographies. Le praticien est alors tenté de croire que le malade souffre d'un mal imaginaire ou "psychosomatique".

Le malade, quant à lui, se met à douter, pour ne pas dire plus, du savoir et de la compétence médicales. Et c'est ici que la notion de "Dérangement Intervertébral Mineur" apporte ses lumières.

La méthode du Pr Maigne ou la mémoire de la colonne vertébrale

Sans entrer dans les détails techniques, voici comment le Pr Maigne explique sa méthode qui permet de comprendre et de soigner avec succès bien des maux de dos qui resteraient mystérieux autrement.

Imaginez que vous vous fouliez une cheville. Aussitôt, les mécanismes de protection musculaire se mettent en place : les muscles se contractent fortement afin d'empêcher les mouvements du pied qui accentueraient la douleur. L'entorse de la cheville, accident très bénin, n'empêche pas de marcher, mais du fait de la contraction des muscles du pied, on boitille un peu. Le sujet peut même, par un effort de volonté, surmonter la douleur et marcher normalement, sans claudication perceptible. C'est cette emprise de la volonté sur les mouvements des membres et des muscles qui se révèle impossible lorsqu'il s'agit du dos !

Comme nous l'avons expliqué dans la 1ère Partie, la musculature dorsale et vertébrale obéit au système nerveux autonome et automatique qu'est la moelle épinière. Chaque fois qu'un trouble affecte un élément de la colonne vertébrale, les mécanismes de protection et de défense musculaires et ligamentaires se déclenchent automatiquement pour limiter ou supprimer la douleur.

Le cerveau central n'intervient jamais à ce niveau. Et il ne peut pas imposer une correction de mouvements aux muscles comme dans le cas de la cheville foulée : lorsqu'on s'est fait un lumbago, on reste vissé dans une attitude typique, et aucune volonté au monde ne peut faire changer cette attitude !

Quand on souffre d'un lumbago, on a l'air de quelqu'un qui souffre d'un lumbago parce que les muscles concernés se sont mis automatiquement en position de blocage ou de verrouillage de la posture. Or, à chaque déclenchement de ces mécanismes, la moelle épinière enregistre le nouveau programme de protection : elle va "s'en souvenir" pour toute la vie !

Et c'est ainsi que, chaque fois qu'une menace pèse sur la colonne vertébrale de nature à reproduire la souffrance, le programme de protection y correspondant se met automatiquement en place.

Voilà comment un patient peut légitimement se plaindre de souffrances bien réelles, alors que tous les examens possibles et imaginables ne décèleront aucune lésion ni atteinte objective d'un élément quelconque de la colonne. Le plus étonnant est que le malade ne se souvienne même pas d'un antécédent à ses souffrances. Mais la colonne et ses mécanismes protecteurs s'en souviennent parfaitement, eux...

Le spécialiste doit interroger son patient

Le "Dérangement Intervertébral Mineur" permet donc de découvrir la cause d'un mal de dos enfouie dans les méandres de la mémoire sensorielle. Il revient au rhumatologue ou à l'ostéopathe de savoir mener un interrogatoire intelligent de son patient pour y parvenir, et le soulager.

3è PARTIE

COMMENT PRÉVENIR LE MAL DE DOS
Méthode pratique

Si l'on excepte les cas (rares) de malformations ou de maladies d'origine microbienne, bactérienne ou virale, le mal de dos résulte presque toujours d'un mauvais comportement physique (attitudes vicieuses, contraires aux lois naturelles qui régissent la mécanique du corps), ou psychique (tendance à l'angoisse, à la dépression, au stress). Or, les mauvais comportements deviennent au fil du temps des habitudes qui, non seulement aggravent irrésistiblement les douleurs chroniques, mais encore, se révèlent très difficiles à corriger après un certain nombre d'années.

Ainsi, en dehors de toute lésion décelable au niveau vertébral, on souffre néanmoins du dos à cause d'habitudes vicieuses du comportement, devenues une seconde nature...

Protégez votre dos à temps

Pourtant, il existe un moyen très simple de se garantir contre le mal de dos que l'on se fait à soi-même : c'est la prévention ! N'allez pas croire qu'il vous faudra une volonté de fer pour y arriver. Il vous suffira d'un peu d'attention et d'une petite discipline quotidienne n'exigeant aucun effort spécial : rien qui ne soit à la portée de n'importe lequel d'entre nous !

Sachez encore que plus tôt vous vous y prendrez, meilleurs et plus durables seront les résultats positifs.

Mais cela ne signifie pas pour autant que tout soit inutile ou perdu d'avance, si vous commencez à pratiquer la prévention du mal de dos après un certain âge, par exemple après la quarantaine. Non : il s'agit, dans ce cas, d'adapter, de bien doser les exercices et les précautions nécessaires au bon maintien du dos et de la colonne vertébrale.

Une méthode qui a fait ses preuves

Dans cette 3è partie, nous allons donc vous exposer en détail et de manière claire, une méthode pratique qui a fait ses preuves, destinée à maintenir votre dos dans un état fonctionnel satisfaisant, et donc à prévenir tout dysfonctionnement.

Cette méthode est facile à mettre en œuvre chez vous, en respectant les indications et les conseils qui vous sont donnés. Elle ne nécessite aucune installation matérielle particulière - encore que l'acquisition d'un "palier suédois" (cette sorte d'échelle que l'on fixe à un mur d'une chambre ou d'un couloir de la maison), outil idéal pour parfaire les exercices d'étirement et de musculation dorsaux, soit souhaitable, d'autant que le coût est très raisonnable.

Mais, avant d'entrer dans le vif du sujet, retenez bien la règle essentielle suivante, qui conditionnera le succès de vos efforts :

De la régularité, encore et toujours de la régularité quotidienne !

À la limite, il serait préférable de faire un minimum d'exercices tous les jours, sans exception, plutôt que de vous efforcer à multiplier les exercices mais en "laissant tout tomber" un ou plusieurs jours dans la semaine.

D'ailleurs, si vous vous concentrez sur quelques exercices, les plus faciles pour vous - mais exécutés tous les jours -, vous constaterez assez rapidement une amélioration de votre tonus et de votre état général.

Et, comme on dit, *"l'appétit vient en mangeant"* : cette amélioration évidente vous poussera à accepter de nouveaux efforts, comme cela a été constaté chez 8 personnes sur 10 !

Les différents âges du dos

Nous allons donc examiner, dans un premier chapitre, les différents âges du dos. En effet, la vulnérabilité du dos n'est pas la même, suivant que l'on est un adolescent ou une personne âgée.

Les réactions de la colonne vertébrale à différents facteurs (comportement, attitude, efforts physiques) varient considérablement selon l'âge, l'état de la musculature dorsale et abdominale, l'état physiologique du système vertébral, etc.

Il faut donc connaître, de manière générale, les points faibles du dos à tel ou tel âge et savoir quels gestes, par exemple, il ne faut pas faire dans ce cas-là pour éviter une mauvaise surprise. Il s'agit en l'occurrence, de ce que l'on pourrait appeler des dispositions préventives globales, applicables à tout le monde, en dehors de tout symptôme douloureux.

Votre dos au quotidien

Dans un deuxième chapitre, nous nous intéresserons au dos au quotidien. Nous avons des activités extrêmement variées tous les jours, qui sont autant d'occasions d'effectuer des milliers de gestes très divers dont l'exécution met toujours à contribution la colonne vertébrale.

Que nous soyons au travail ; que nous voyagions en voiture ou en train ; que nous nous habillions, lacions nos chaussures ; bref, quoi que nous fassions, nous faisons toujours travailler, plus ou moins intensément, notre dos, le plus souvent sans en avoir conscience (le fameux automatisme de la colonne vertébrale se charge de tout) !

Or, il faut savoir qu'un nombre incroyable de maux de dos "ordinaires", parfois très douloureux, résultent exclusivement de gestes malencontreux, de fausses manœuvres qu'il est parfaitement possible d'éviter avec un minimum d'attention.

Voici quelques exemples :

— Ce monsieur d'un certain âge, un peu "rouillé", veut sortir de son bain sans se tenir au rebord de la baignoire : un cri, il est là courbé en deux, grimaçant de douleur ; diagnostic : un lumbago tout à fait évitable.

— Cette jeune secrétaire qui tape un long rapport, urgent bien sûr ; elle a posé sa pile de feuillets à droite, et tape ainsi, la tête tournée de ce côté pendant plusieurs heures : le lendemain, elle est toute surprise de ressentir son cou raide et douloureux...

Il y a ainsi des centaines de situations génératrices de maux de dos, pas toujours mineurs. Nous passerons donc en revue les plus fréquentes de ce type de situations, et vous indiquerons quels gestes il faut proscrire ou éviter, et quels "bons" gestes pourront épargner votre dos !

Votre programme préventif

Le troisième chapitre est entièrement consacré à vous détailler le programme personnalisé d'entretien préventif de la colonne vertébrale.

Nous vous indiquerons comment évaluer l'état de vos vertèbres et de votre dos : c'est en fonction de cet état que vous devrez adapter ou doser, au besoin, ce programme.

Ensuite, nous vous exposerons concrètement un certain nombre d'exercices pratiques, illustrés par des schémas et des figures qui vous aideront à les exécuter correctement. En effet, ces exercices sont essentiels pour maintenir votre dos en bon état.

Il faudra vous astreindre à une petite discipline quotidienne, à vrai dire fort légère et douce, comparée aux souffrances tenaces qu'engendrent inévitablement un dos délabré !

A

Les différents âges du dos

Pour chacun d'entre nous, l'histoire du dos commence dans le ventre de la mère. C'est là, dès le stade fœtal, que se structure notre colonne vertébrale.

1 - Le dos de la femme enceinte : de la grossesse à l'accouchement

Il peut paraître paradoxal que l'on s'intéresse en premier lieu à un état physiologique transitoire, la grossesse, pour décrire les âges du dos. Mais cela se justifie pour plusieurs raisons fondamentales :

- La santé de la maman détermine et conditionne celle de l'enfant qu'elle porte : toute atteinte pathologique a automatiquement des répercussions sur le développement du fœtus.
- Pendant les 9 mois de gestation, la croissance harmonieuse du fœtus, le développement et la minéralisation de son squelette osseux, le développement de son cerveau, dépendent des éléments nutritifs essentiels fournis par la mère par la voie sanguine.
- L'état de grossesse entraîne des changements

anatomiques et physiologiques très importants pour la mère ; en particulier, l'accroissement du volume du ventre et le poids de plus en plus lourd du fœtus et de la poche amniotique, exercent une action mécanique considérable sur la colonne vertébrale, au point de la déformer dans certains cas limites.

Si cette action purement mécanique agit sur une colonne vertébrale déjà en mauvais état avant la grossesse, on peut redouter des conséquences très néfastes pour la santé de la mère et de l'enfant.

Faites un bilan de santé régulièrement

En réalité, la prévention doit commencer avant même la conception. Toute femme en âge de procréer devrait toujours faire un bilan de santé régulièrement, même en l'absence de troubles sérieux.

Et cette mesure devient impérative si la candidate à la maternité souffre régulièrement ou même épisodiquement de douleurs lombaires. En effet, celles-ci peuvent être soit d'origine gynécologique, soit de nature vertébrale et ostéopathique : dans les 2 cas, la grossesse envisagée peut devenir un véritable calvaire, voire être compromise. Il faut donc absolument déterminer la cause de ces douleurs lombaires, et la traiter.

Pendant longtemps, on a privilégié une origine gynécologique de la souffrance lombaire chez la femme jeune, au point de la considérer comme "naturelle" et inhérente à la nature féminine - ce qui est inexact et abusif -. Certes, l'appareil génital féminin est fragile et sujet à de nombreuses affections dont la symptomatologie comporte de fréquentes douleurs lombaires. Il est par conséquent indispensable, en présence de ce type de douleur, de se soumettre à un examen gynécologique approfondi, incluant toute la panoplie exploratoire fonctionnelle.

Si le gynécologue n'a rien trouvé d'anormal au terme de ses examens, on doit consulter le rhumatologue qui procédera, à son tour, aux examens appropriés.

Il est pratiquement impossible que ces 2 consultations croisées, gynécologique et rhumatologique, ne permettent pas d'en déceler la cause. Si c'était, néanmoins, le cas, on devrait envisager l'existence d'un terrain psychologique particulier (stress important, dépression), qui devrait être traité sans délai.

Le gage d'une grossesse heureuse

De toute manière, si vous désirez, Madame, avoir un enfant, préparez-vous de sorte à vous présenter dans le meilleur état physique et psychologique possible : c'est le gage d'une grossesse heureuse, sans complications, l'assurance d'un accouchement normal sans séquelles indésirables notamment sur la colonne vertébrale, et une des meilleures garanties d'avoir un bébé en parfaite forme.

Dès que le test de grossesse se révèle positif, la future maman doit s'astreindre à une certaine discipline.

Voici les principaux conseils d'ordre général à suivre :

⟹ – Vous devez absolument équilibrer votre alimentation. Les apports en minéraux, oligo-éléments et vitamines seront calculés généreusement ; en cas de déminéralisation antérieure, il faut suivre un régime reminéralisant, avec les compléments naturels nécessaires ; la consultation d'une diététicienne est alors vivement recommandée. Cette spécialiste de la nutrition vous aidera également à perdre, éventuellement, les kilos de graisse en trop qui ne feront qu'alourdir un peu plus la charge pondérale de la grossesse.

– Les médecins ont souvent constaté chez de jeunes femmes enceintes qui se plaignaient de lombalgies ou de dorsalgies, une diminution significative de leur taux de potassium dans le sérum sanguin. Or, l'on sait qu'un déficit important de potassium sérique déclenche une hypersensibilité et une hyperréceptivité des tissus musculaires à la douleur.

Si tel est votre cas, un apport supplémentaire de potassium, sous contrôle médical, peut faire disparaître ces douleurs, ou tout au moins les atténuer considérablement, en l'absence d'une autre cause, bien évidemment.

– Votre corps va devoir faire face à des changements importants. Il faut surtout améliorer et renforcer votre musculature abdominale et dorsale qui sera très sollicitée pendant la grossesse et au cours de l'accouchement : il vous est donc conseillé de pratiquer régulièrement un peu de gymnastique douce, chez vous (voir les exercices décrits plus loin, au chapitre 3) ou dans un club, sous la direction d'une monitrice.

Retenez bien qu'il ne s'agit pas de vous préparer à un concours de Miss Muscles, mais de fortifier votre musculature de manière continue et régulière.

– Si vous suivez un traitement médical, consultez votre médecin traitant : certains médicaments peuvent avoir des effets néfastes sur le développement de l'embryon et du fœtus ; seul, votre médecin pourra décider de modifier, de changer ou d'arrêter le traitement.

Vous éviterez également les radiographies aux rayons X, surtout au cours des 3 premiers mois.

 – Si vous fumez, il faut arrêter le plus rapidement possible (risque important de prématurité). Au besoin, adressez-vous à un centre antitabagique ou à un psychologue spécialisé, pour vous aider pendant le sevrage (épreuve toujours délicate).

Dans le même ordre d'idées, la consommation de boissons alcoolisées doit être strictement contrôlée : pas plus d'1 verre de vin au déjeuner et au dîner.

– Commencez à apprendre la méthode d'accouchement sans douleur avec la sage-femme ou le gynécologue : une bonne maîtrise de cette technique vous épargnera bien des souffrances inutiles.

– Il vous est conseillé aussi d'apprendre à respirer calmement et à vous relaxer. Un cours de débutant en yoga ou d'initiation au training autogène, par exemple, sera amplement suffisant, à condition de le suivre régulièrement. À défaut, vous pouvez vous entraîner à la maison, selon la méthode que nous vous indiquons plus loin.

Comment éviter une lombalgie

Il faut savoir que ces précautions d'ordre général ne sont pas une garantie absolue contre le mal de dos chez la femme enceinte : les lombalgies sont, hélàs, fréquentes, surtout au cours des 3 derniers mois de la grossesse, et plus fréquentes chez les femmes qui ont eu déjà plusieurs enfants que chez les primipares.

Cela tient essentiellement à un double phénomène :

- la musculature abdominale, lorsqu'elle est insuffisante, se relâche et est tirée en avant par le poids du ventre ;

- afin de rétablir l'équilibre, les puissants muscles dorsaux et lombaires se contractent très fortement (hypertonicité), comme pour tirer l'abdomen vers l'arrière. Il en résulte des pressions énormes sur les articulations vertébrales postérieures, provoquant une forte hyperlordose lombaire, et donc des douleurs (voir fig. 1, page 154).

Mais vous pouvez limiter ou atténuer ces inconvénients, grâce à quelques mesures pratiques simples :

⇨ – Le port d'une ceinture de <u>grossesse spéciale,</u> dite de soutien lombo-abdominal, est conseillé (en accord avec votre gynécologue ou la sage-femme) ; cette ceinture soulage considérablement le travail des muscles lombaires, tout en permettant de continuer à faire de légers mouvements de gymnastique chaque jour (pour l'entretien des abdominaux).

▲ – <u>Vous devez bannir les chaussures à talons hauts</u> (qui exagèrent la cambrure lombaire et

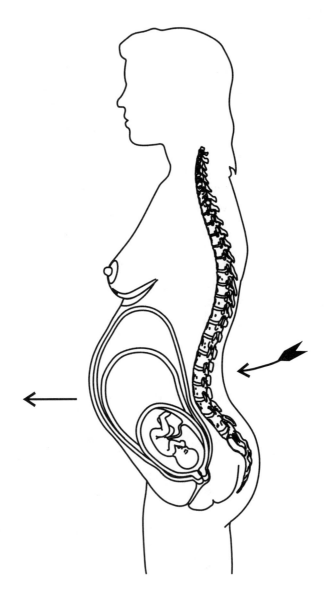

Figure 1

font souffrir articulations vertébrales et disques).

⇨ Vous choisirez des chaussures bien adaptées aux pieds et dont la semelle participe au bon équilibre vertébral.

– Votre lit doit être ferme, voire dur ; vous vous y reposerez sur le dos, en disposant sous les genoux un coussin ferme, de manière à réduire la tension des muscles lombaire. Vous pouvez également adopter la position couchée en chien de fusil, la tête reposant sur un coussin ferme, large et assez épais, pour que le cou soit à peu près dans l'alignement longitudinal de la colonne vertébrale.

▲ – Il faut absolument éviter de porter ou de soulever des charges lourdes (supérieures à 7-8 kilos).

– Vous devez veiller à ne pas prendre froid, surtout au niveau des muscles dorsaux et lombaires. Faites attention aux courants d'air et le soir, même en été, ne portez jamais de vêtements trop décolletés ou échancrés.

– Proscrivez les sièges trop mous, trop souples et surtout trop bas, qui sont de véritables bourreaux pour votre colonne.

Aussi longtemps que vous continuerez à travailler, surveillez votre position de travail ; évitez les mouvements de torsion lorsque vous êtes assise (les sièges pivotants sont les meilleurs de ce point de vue).

– Vous éviterez également certains travaux ménagers (laver le sol avec une serpillière, passer l'aspirateur), très pénibles pour votre colonne.

Monsieur sera mis à contribution (pour une fois !). À défaut, vous demanderez une aide-ménagère.

– D'une manière générale, il faut savoir doser chaque effort physique. Il ne s'agit évidemment pas de vous transformer en "légume", mais d'avoir des activités normales, sans efforts exagérés, incompatibles avec l'état de grossesse.

Si vous vous conformez aux différents conseils ci-dessus, si vous prenez ces quelques précautions - de simple bon sens d'ailleurs, mais on l'oublie -, vous arriverez au jour de l'accouchement dans les meilleures conditions, et tout se passera sans problème.

Et après l'accouchement ?

Après l'accouchement, qui est toujours une rude épreuve cependant, la maman doit encore continuer à surveiller son état et ses gestes.

Dès les relevailles, il est indispensable de faire vérifier la bonne position de l'utérus. Vous commencerez rapidement la rééducation du périnée, selon les indications qui seront fournies par l'accoucheur.

En cas de douleurs lombaires, un examen rhumatologique s'impose : lors des efforts d'expulsion, une hernie discale, jusque-là "muette", a pu être réveillée ; un coincement vertébral a pu se produire ; d'autres dérangements ou accidents vertébraux ont pu être provoqués par l'intensité des efforts musculaires lors du travail.

De retour à la maison, la mère doit encore s'occuper de son nourrisson. Travail fastidieux, très fatigant, surtout après l'épreuve de l'accouchement. C'est ainsi que beaucoup de maux de dos prennent naissance au cours des premières semaines qui suivent l'arrivée de bébé.

Voici quelques précautions simples qui peuvent prévenir bien des lombalgies et des dorsalgies :

- D'abord une règle d'or à respecter en toute circonstance : il faut avoir votre bébé et les objets qui lui sont nécessaires, toujours à la bonne hauteur, de manière à ne pas vous courber continuellement, à ne pas vous casser les reins ;

- Le berceau ne doit pas être trop profond : car cela oblige à "y plonger" pour déposer ou retirer bébé dans une position dangereuse pour le dos de la maman (bras et genoux tendus, basculement du tronc sur les membres inférieurs qui sollicite violemment la charnière lombo-sacrée) ;

- La table à langer doit être suffisamment large et longue (pour y disposer en toute sécurité bébé et avoir à portée de main les changes et serviettes), et surtout à la bonne hauteur (fig. 2, page 158) ;

- Vous devez vous interdire absolument de tenir bébé dans un bras, et vous occuper d'une autre tache avec l'autre bras : cela oblige à des contorsions avec souvent, au bout du compte, une douleur fulgurante dans le dos ou les lombaires, ou pire, un accident plus grave encore !

Pour le reste, et à mesure que bébé grandira, vous prendrez les mêmes précautions que celles que nous donnons au chapitre "Le dos au quoti-

Figure 2

dien", page 211, qu'il s'agisse du bain de l'enfant, de la promenade en landau ou porté en "kangourou". Entretemps, la maman aura récupéré sa pleine forme !

2 - Le dos de l'enfant et de l'adolescent

S'il est vraiment un âge critique pour le dos, c'est celui de l'enfance et de l'adolescence, c'est-à-dire cette période de la vie qui va de la naissance jusqu'à la fin de la croissance. C'est là que tout se joue ! Ou bien l'on vivra le restant de ses jours avec un dos sans problème ; ou bien l'on sera condamné à une existence de souffrances continuelles, voire même à subir des handicaps parfois sévères et irréversibles.

Cependant, il ne faudrait pas croire qu'il s'agit là d'une loterie (sauf dans les rares cas de malformations congénitales graves, encore que, traitées précocement, celles-ci puissent être réduites, jusqu'à ne produire que des gênes minimes).

Le rôle de la prévention

Tout le monde peut et devrait ne jamais avoir à se plaindre de son dos à l'âge adulte actif. Ce "miracle" porte un nom : la prévention. Un traitement préventif ou curatif très précoce empêche l'installation de ces handicaps qui empoisonnent la vie.

Le rôle des parents, du médecin de famille et du médecin scolaire est, à cet égard, primordial. L'enfant et l'adolescent sont incapables de déceler par eux-mêmes des malformations parfois très ténues, ni de corriger des attitudes corporelles génératrices de troubles de la statique.

Nous disons donc que tous les adultes qui forment l'entourage ou l'environnement de l'enfant doivent participer à une surveillance discrète mais vigilante, de celui-ci.

Votre mental influe sur votre dos

Notons, pour commencer, qu'il existe un rapport étroit entre la vie psychologique et la santé de la colonne vertébrale : le dos extériorise de manière symbolique notre attitude, et a fortiori, celle de l'enfant face à la vie.

C'est ce que résume bien le bon sens populaire en 2 formules : ne dit-on pas de quelqu'un qu'il *"courbe l'échine"* quand il est accablé par les épreuves et les ennuis ? Et de tel autre qu'il a *"bon dos"*, qu'il a *"les reins solides"*, signe qu'il a un bon équilibre psychique et physique, qu'il sait faire face aux situations difficiles?

Partant de cette constatation, on peut donc se faire une idée, sans être spécialiste, de l'état moral et physique de l'enfant ou de l'adolescent, simplement en examinant sa manière de se tenir, son allure générale.

Là où il faut être très vigilant, c'est lorsque l'on s'aperçoit qu'un enfant qui se tenait correctement, droit, commence à donner l'impression de se voûter. C'est toujours un signal d'alerte. Cela signifie que l'enfant souffre moralement ou physiquement, ou les 2 à la fois - et la souffrance est d'autant plus sérieuse qu'il n'en parle pas.

Il est alors impératif de faire procéder sans délai à un examen médical approfondi et à un entretien avec un psychologue spécialisé. L'examen médical, avec radios, pourra révéler une affection "muette" ou une anomalie, passée inaperçue jusque-là ; le psychologue pourra dépister un trouble psychique que l'entourage familial n'avait pas remarqué...

Cette observation générale, dont nous ne répèterons jamais assez les implications essentielles sur l'avenir du dos de l'enfant, doit guider les parents dans l'attention qu'ils doivent porter au développement et à la croissance de leur progéniture. Il ne faut pas attendre que les symptômes soient "visibles à l'œil nu" : à ce moment-là, il est déjà un peu tard, mais rien n'est perdu si on réagit très rapidement.

La bonne prévention consiste à découvrir les signes avant-coureurs d'une affection, et surtout à inculquer à l'enfant une éducation saine, avec des méthodes et des mots simples, compréhensibles par lui.

Les courbures de la colonne

Une première information, purement physiologique, utile à connaître : sachez que la courbure lombaire - siège d'un grand nombre d'affections, déformations, douleurs, etc. - commence à se former vers l'âge de 2 ou 3 ans ; elle atteint sa forme normale à 10 ans.

Les autres courbures de la colonne (voir leur description en 1ère Partie), qui dépendent en partie de la lombaire, prennent leur forme et leur structure complète à la fin de la croissance.

La plupart des déformations de ces courbures (les hypercyphoses et les hyperlordoses si difficiles à rectifier) sont déjà potentielles chez l'adolescent, parfois chez l'enfant, si les facteurs qui les provoquent n'ont pas été dépistés et traités à temps. C'est sur ces facteurs, de divers ordres, qu'il convient donc d'agir au cours de la période de formation de la colonne.

Le facteur génétique

Il existe un facteur génétique contre lequel on peut difficilement agir. De même qu'il y a des familles à embonpoint, dites "fortes", sans apparition de maladies de l'obésité, il y a aussi des familles à dos rond, d'autres à dos raide.

Ces sortes d'héritages d'une forme particulière du squelette vertébral, n'entraînent, en règle générale, aucune pathologie handicapante. Toutefois, si vous appartenez à une famille à dos rond, par exemple, vous devez prodiguer à vos enfants conseils et correctifs afin que leur attitude posturale n'aggrave pas la tendance génétique familiale.

Ainsi, vous surveillerez tout spécialement les pratiques sportives (certains sports accentuent les positions en hypercyphose, comme nous le verrons plus loin), la literie, la manière de se tenir à table, pendant le travail scolaire, etc.

La pratique d'une gymnastique appropriée, sous la conduite d'un moniteur spécialisé, peut se révéler absolument nécessaire si l'hypercyphose est déjà nettement marquée avant l'âge de 13 ou 14 ans.

Les déformations de naissance

Un autre facteur très important concerne des déformations congénitales (l'enfant naît avec elles) ou acquises, qui affectent certains éléments du squelette. Celles-ci peuvent être décelées très précocement, parfois par un simple examen at-

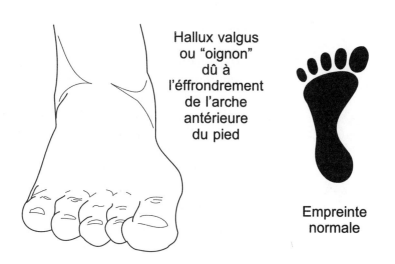

Hallux valgus
ou "oignon"
dû à
l'éffrondrement
de l'arche
antérieure
du pied

Empreinte
normale

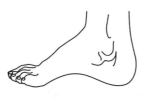

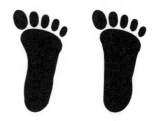

Pied creux

Pied plat

Figure 3

tentif de l'accoucheur à la naissance, plus souvent grâce à des radios.

Les pieds

Les déformations des pieds sont parmi les plus fréquemment incriminées : pieds plats, pieds varus, pieds varus équins, pieds bots (fig. 3, page 163). Comme tout l'échaffaudage corporel repose sur les pieds, toute anomalie au niveau de cette "base" entraîne automatiquement un déséquilibre de l'ensemble - genoux, bassin et surtout colonne vertébrale où les répercussions peuvent être les plus sévères.

En l'absence d'une intervention extérieure (médicale, orthopédique, chirurgicale), l'enfant cherchera à rectifier instinctivement la déformation de ses pieds pour s'assurer une base stable ; il fait alors travailler son bassin et sa colonne vertébrale à contre-sens. Résultat : des déformations en chaîne s'installent au niveau du dos.

Il est absolument impératif que toute déformation des pieds, souvent décelable dès la naissance, soit traitée par un spécialiste orthopédiste ou ostéopathe, et que le traitement approprié soit poursuivi jusqu'à la correction complète de l'anomalie.

Les parents doivent être extrêmement vigilants et surveiller l'enfant quotidiennement (on s'assurera, par exemple, qu'il ne retire pas en catimini ses chaussures orthopédiques).

On bannira les chaussures de sport qui ne permettent pas un bon maintien du pied, contrairement à ce que l'on croit, et s'opposent au travail des muscles de la voûte plantaire (qui finit par se relâcher, voire par s'effondrer lentement).

Les genoux

Les genoux sont également sujets à de fréquentes déformations innées ou acquises. Le plus souvent, les atteintes sont secondaires à des déformations localisées aux pieds. Bien entendu, il faudra traiter la cause en premier lieu et, ensuite, soumettre l'enfant à une rééducation kinésithérapique correctrice du genou.

L'intervention chirurgicale peut être envisagée en dernier recours, si les traitements orthopédiques et ostéopathiques se révèlent inefficaces. Mais dans tous les cas, plus précocement on interviendra, moins importants seront les risques de séquelles.

Les hanches

Les hanches peuvent aussi subir des malformations aux conséquences toujours désastreuses pour la colonne vertébrale, si on tarde à les traiter. Le plus souvent, ces malformations sont congénitales, ou même héréditaires. S'il existe des antécédents familiaux, le pédiatre doit systématiquement rechercher une éventuelle anomalie et faire procéder à des radios.

Une forme particulière de malformation, la luxation congénitale de la hanche (due à des contraintes mécaniques "in utero" qui forcent la tête fémorale hors du cotyle), est en principe systématiquement recherchée chez tous les nouveaux-nés. Le dépistage, très simple à faire, est réalisé avec la manœuvre d'Ortolani, qui consiste en une adduction, puis une abduction de la cuisse en flexion sur le bassin. En cas de doute, l'enfant est radiographié.

On recommande aux parents de toujours interroger le pédiatre pour connaître l'état exact des hanches de leurs nourrissons. Nul n'est à l'abri d'un "oubli", pas même les meilleurs praticiens.

Le bassin

Le bassin est un autre endroit stratégique susceptible de subir des déformations fort préjudiciables pour la colonne.

Ces malformations peuvent êtres primaires, consécutivement à un choc, à un effort trop intense ou à un faux mouvement ; elles se traduisent le plus souvent par une fausse jambe courte.

Elles peuvent aussi être secondaires à des déformations des pieds, des genoux ou des hanches.

Dans tous les cas, un bilan exhaustif doit être pratiqué par un spécialiste afin de déterminer très précisément la ou les causes. Le traitement peut être orthopédique, kinésithérapique, ostéopathique ou chirurgical, selon la situation.

Le port de "talonnettes" est formellement déconseillé : il donne l'illusion d'une "bonne correction" de l'anomalie, mais ne fait que l'aggraver à long terme, en réalité. Au besoin, on demandera l'avis de plusieurs spécialistes avant d'entreprendre tout traitement.

Autres anomalies osseuses

À côté des malformations et déformations

structurelles des articulations des membres infé-rieurs, certaines anomalies osseuses peuvent être à l'origine de graves problèmes vertébraux chez l'enfant et l'adolescent. Ce sont principalement des anomalies de la charnière vertébrale lombo-sacrée : hémisacralisation de L5, lombalisation de S1.

Lorsque l'anomalie est localisée d'un seul côté (asymétrie), les risques de scoliose sont très importants. D'où la nécessité absolue de faire un bilan complet très tôt.

Les déformations dues à votre environnement

Nous venons d'examiner les principales cau-ses constitutives, anatomiques, qui peuvent dé-boucher sur des altérations, des déviations ou des anomalies de la colonne vertébrale chez l'enfant et l'adolescent.

Il existe d'autres causes, de natures différen-tes des précédentes, liées à l'activité et à l'envi-ronnement du sujet : manière de se tenir, de marcher, de s'alimenter, de vivre, etc. Et ces causes ne sont pas moins dangereuses que les premières.

En effet, autant il est relativement facile, grâce à l'imagerie médicale notamment (radio-graphie, scintigraphie, scanner, etc.), de décou-vrir une malformation ou une déformation du bassin, par exemple, et de réagir en consé-quence, autant il est mal aisé d'identifier un fac-teur comportemental ou environnemental dans un processus de dorsalgie ou de lombalgie chez l'enfant.

Ajoutez à cela que le nombre de ces facteurs extra anatomiques est très élevé (on n'en pos-sède aucune liste exhaustive !), et vous comprendrez pourquoi certains maux de dos de l'enfant posent de véritables énigmes aux rhumatologues, ostéopathes et autres pédiatres les plus chevronnés.

Voilà qui, une fois de plus, devrait encourager la vigilance attentive des parents, et les inciter à consulter, sans retard, un spécialiste, dès le premier signe alarmant.

Les principales causes non anatomiques de déformation de la colonne chez l'enfant et l'adolescent sont les suivantes :

1 - Les traumatismes

Ils ont toujours des répercussions sur l'architecture du squelette, quelles que soient les parties du corps qui en sont affectées.

Par exemple, une fracture du poignet, apparemment sans aucun rapport avec la colonne vertébrale, peut indirectement entraîner une déviation latérale (passagère heureusement) par un phénomène de compensation : l'enfant aura tendance à se pencher du côté opposé au membre atteint, dans l'espoir de soulager la douleur.

D'autre part, les tissus de l'enfant, muscles et os, possèdent une souplesse, une élasticité bien supérieures à celles des tissus de l'adulte. Il en résulte un double danger : on croit que l'enfant est moins sensible aux chocs traumatiques, et qu'il "récupère" vite et définitivement. D'où l'attitude, hélas trop répandue chez beaucoup de parents, qui consiste à dire : *"Ce n'est rien, ça va se remettre en place tout seul."*

Ce comportement est tout à fait irresponsable. Il faut au contraire être encore plus prudent que s'il s'agit d'un adulte.

Après tout traumatisme direct ou indirect (accident de voiture, accident de sport, chutes, chocs, etc.), il faut systématiquement faire faire des radiographies et suivre le traitement que préconisera le spécialiste ; on renouvellera les radios au terme du traitement, pour vérification.

2 - Les micro-traumatismes

Ils sont par nature plus discrets, moins évidents que les grands traumatismes. Cependant, la combinaison de cette discrétion avec la répétitivité de ces petits traumatismes indolores pendant une longue durée peut entraîner de graves lésions : fissures à peine perceptibles de disques intervertébraux, usure prématurée de cartilages articulaires, développement insatisfaisant de la structure des os, etc.

Les risques du sport

La plupart des activités sportives provoquent des micro-traumatismes, surtout lorsqu'elles sont pratiquées de manière excessive. Certains sports, même modérément pratiqués, sont plus traumatisants que d'autres ; c'est le cas, entre autres, du patin à roulette, du skateboard, du ski de vitesse, du vélo VTT, etc.

Il ne s'agit évidemment pas d'interdire les sports à l'enfant et à l'adolescent. Au contraire, l'activité physique est indispensable à leur développement et à leur croissance. Ce qu'il faut, c'est toujours raison garder :

 – Les activités sportives doivent se faire sous la direction d'un moniteur habilité.

– L'enfant doit porter tous les équipements de protection locale appropriés à chaque sport (comme un casque, des genouillères ou encore, des coudières) ;

- En règle générale, 1 heure de sport par jour suffit amplement, mais sous réserve d'une modération de l'effort.

On doit se méfier des "fabricants de petits champions" qui imposent à des enfants en pleine croissance des efforts que l'on ne demanderait jamais à un adulte ! Les ex-"jeunes prodiges" sont bons pour la retraite vers le début de la trentaine ; une retraite parfois confortable financièrement, mais ô combien pénible à vivre physiquement.

Voyez les tennismen, les footballeurs, les rugbymen, ou les gymnastes de haut niveau, pour ne citer qu'eux : pour une poignée qui réussissent parce qu'exceptionnellement doués par la nature, combien restent, anonymes, sur le bas côté de la route de la gloire ! Nous sommes de ceux qui pensent que le jeu n'en vaut pas la chandelle !

Ce "fichu" cartable

Une autre cause, plus insidieuse, de micro-traumatismes est le cartable ou le sac de l'écolier, du collégien et du lycéen. On en est arrivé à cette aberration qui consiste à faire porter quotidiennement, durant toute l'année scolaire, des charges de 10 à 12 kg à des enfants pesant à peine une trentaine de kilos ! C'est comme si un adulte de 70 kg devait se rendre à son bureau ou à son atelier en portant tous les jours, à l'aller et au retour, une charge de 25 kg ! Qui résisterait à un tel traitement ?

Le résultat est facile à deviner : tassement des vertèbres, écrasement des disques surtout au niveau sacro-lombaire déjà si fragile, érosion des cartilages articulaires des hanches, du bassin, des genoux et des pieds...

Le cartable trop lourd est assurément l'un des meilleurs pourvoyeurs du mal de dos. On ne devrait jamais faire porter des charges excédant 10 % du poids corporel de l'enfant.

Il existe des solutions raisonnables, beaucoup moins coûteuses aux familles et à la collectivité, et qui éviteraient tant de souffrances inutiles :

⇨ – C'est de prévoir tout simplement un double jeu de livres, l'un à l'école, l'autre à la maison, de sorte que l'écolier ou le collégien n'aurait plus à transporter que ses cahiers.

Mais nous touchons là à un problème qui dépasse le cadre de ce livre.

3 - L'alimentation

C'est l'élément fondamental, et cependant l'un des plus négligés, en matière de prévention "douce" des troubles de la colonne vertébrale. Tout le monde sait que les cellules qui composent notre organisme, à commencer par les cellules des tissus osseux, dépendent très étroitement pour leur développement et leur renouvellement des apports nutritionnels.

S'agissant des jeunes organismes de l'enfant et de l'adolescent, ceci est encore plus essentiel. La croissance harmonieuse du corps jusqu'à son plein développement à la fin de l'adolescence, est donc conditionné par l'alimentation. Celle-ci doit fournir tous les nutriments indispensables, et pas seulement les quantités énergétiques nécessaires. Or, nous assistons à un triple phénomène très défavorable :

L'évolution de l'alimentation et ses conséquences

1) Les parents ont perdu la plupart des notions "instinctives" de diététique des grands-parents ; ceux-ci s'évertuaient à confectionner des menus variés, n'excluant aucun type d'aliment, de manière à couvrir tous les besoins nutritionnels. Les parents d'aujourd'hui se contentent d'une alimentation souvent industrielle, insipide, monotone, bourrée d'additifs chimiques et autres colorants, pauvre en sels minéraux, oligo-éléments et vitamines (détruits lors de la préparation industrielle).

   Certes, les contraintes de la vie moderne dans nos cités expliquent pour partie cette évolution désastreuse pour la santé des enfants. Mais, on ne peut sous-estimer la part d'un certain laisser-aller, pour ne pas dire d'une démission parentale. Par chance, les cantines scolaires ont accompli de réels progrès ces dernières années, sous l'influence bénéfique des médecins et des diététiciens.

2) Les enfants, de leur côté, ne bénéficiant plus d'une éducation du goût, sont livrés à leurs impulsions "culinaires". Ils se rabattent sur des ersatz d'aliments vantés à longueur de journée par des publicités suggestives à la télévision, aliments, faut-il le souligner, d'une incroyable pauvreté nutritionnelle.

   Ils raffolent aussi de ces indigestes préparations qui constituent le fonds de commerce de l'alimentation rapide (fast-food), sandwichs bourratifs mais d'une rare indigence nutritive.

Voici une anecdote authentique, qui serait comique si elle ne révélait une situation presque dramatique. Étant en vacances dans un petit port de pêche breton, on vint nous raconter un incident insolite : les enfants de l'école primaire locale s'étaient mis en grève de déjeuner, le matin même. Motif invoqué : le poisson qu'on leur avait servi, poisson pêché par leurs pères ou grands frères, était immangeable selon les petits gourmets, parce qu'"il sentait le poisson" !!! Ils avaient pris (ou imposé ?) l'habitude de consommer chez eux de ces bâtonnets industriels, fabriqués avec des débris de "poissons" indéterminés. Certes, ce poisson-là ne sent pas le poisson, mais Neptune ne doit pas y reconnaître l'un de ses sujets...

3) D'une manière plus générale, les aliments disponibles sur le marché sont de plus en plus souvent dénaturés, trafiqués, sans valeur nutritionnelle appréciable - quand ils ne sont pas carrément nocifs.

Les méthodes d'élevage et de culture de l'industrie agro-alimentaire moderne en sont les principales causes. Sans parler du poulet et du veau aux hormones, de la "vache folle", on nous annonce pour bientôt l'arrivée d'aliments végétaux génétiquement transformés. Nul ne sait où s'arrêtera le "génie humain" !

Les résultats prévisibles, et déjà constatés in situ dans certaines villes américaines "en avance", de la combinaison de ces 3 phénomènes complémentaires, laissent pantois.

Les individus soumis à ce régime présentent des os (pour nous en tenir à notre sujet) anormalement légers, friables au-delà de la cinquantaine, et d'une faible densité. En outre, ce régime entraîne fréquemment des surpoids importants, voire des obésités pathologiques. Dans ces conditions, les vertèbres et surtout les corps vertébraux ne résistent plus aux pressions, et s'affaissent, entraînant des impotences graves.

Que faire pour prévenir une évolution aussi catastrophique ?

- Il faut d'abord commencer par rééquilibrer l'alimentation de l'enfant et de l'adolescent (consultez une diététicienne, au besoin).

- Ensuite, efforcez-vous de préparer, au jour le jour, les repas avec des aliments frais, provenant de cultures ou d'élevages sains et contrôlés, variés (viandes, poissons, laitages, légumes notamment verts, fruits frais consommés tels quels, sans cuisson, etc.).

Sur avis du pédiatre, vous pourrez faire des apports de complémentation en vitamines (surtout A et D) et en sels minéraux (calcium, phosphore, magnésium, fer, zinc, silicium, principalement). N'oubliez pas que l'exposition de la peau au rayonnement solaire (à ne pas confondre avec le bronzage) favorise la synthèse naturelle de la vitamine D par l'organisme.

– D'autre part, il n'est jamais trop tard pour rectifier un penchant nocif chez un jeune : les parents doivent opposer un refus affectueux et toujours expliqué aux envies de l'enfant en matière alimentaire ; il faut l'habituer très tôt à manger de tout, et à manger naturel et sain, en lui donnant l'exemple, bien entendu.

2 remarques importantes pour finir sur ce point

a) <u>Une attention toute particulière doit être prêtée à tout trouble gastro-intestinal de l'enfant ou de l'adolescent</u> (diarrhée, constipation, douleurs abdominales, etc.). Ces troubles peuvent, en effet, provoquer secondairement des troubles de l'assimilation : la muqueuse intestinale, pour une raison ou pour une autre qui sera déterminée par le médecin, ne parvient plus à assimiler, c'est-à-dire à capter les nutriments apportés par l'alimentation ; ceux-ci sont évacués avec les fèces. Il en résulte, à plus ou moins court terme, des carences aux conséquences redoutables, surtout chez de jeunes organismes en plein développement. Vous alerterez donc le pédiatre ou le médecin de famille, dès l'apparition d'un trouble de cette nature.

b) <u>On ignore bien souvent que la croissance des membres inférieurs se fait alternativement</u> : pendant un certain temps, c'est la jambe droite qui se développe, tandis que la gauche reste dans son état antérieur ; lorsque la phase de croissance de la droite se termine, la gauche prend la relève. Il en va ainsi jusqu'à la fin de la croissance où, en principe, les 2 jambes sont très exactement de même longueur.

Cet ajustement alternatif permanent peut être contrarié dans certaines conditions (maladies gastro-intestinales, accident entraînant l'immobilisation d'une jambe, etc.). Mais c'est surtout une alimentation trop irrégulière, en quantités et en qualité nutritives, qui peut avoir des conséquences graves - l'irrégularité pouvant être due à des troubles dans la vie familiale (déménagements fréquents, voyages) ou à des troubles du développement affectif de l'enfant ou de l'adolescent.

Tous ces troubles aboutissent parfois à la constitution d'une vraie jambe courte (l'une des jambes n'ayant pas bénéficié d'apports nutritionnels suffisants pendant sa phase de croissance n'atteint pas la longueur de l'autre, normalement développée). Cela impose donc une adaptation équilibrée sur le plan alimentaire et, dans toute la mesure du possible, un cadre de vie stable, tant sur les plans affectif (éviter les chocs émotionnels) que matériel.

4 - Les mauvaises postures

Disons-le sans détour : dans 95 % des cas, lorsque l'enfant "se tient mal", c'est que ses parents se tiennent mal aussi ! L'enfant reproduit, consciemment ou inconsciemment, les gestes et les attitudes des adultes qui lui sont les plus proches affectivement et physiquement.

Que les parents commencent donc par se corriger eux-mêmes avant d'exiger de leur progéniture des attitudes correctes !

Cela étant dit, une surveillance un peu attentive peut éviter bien des déboires. Voici quelques points qui méritent une attention particulière :

Surveillez les mauvaises habitudes de vos enfants et corrigez-les

D'abord, la tenue à la table de travail ou de la salle à manger : une attitude que l'on doit toujours corriger chez l'enfant est celle qui consiste à s'appuyer sur un coude (lequel prend appui sur la table), le corps penché d'un côté. Le buste doit rester droit, dans l'axe du bassin, mais sans cambrure. Sachez que cette mauvaise posture (penché sur un côté) s'explique souvent par un mobilier mal adapté à l'enfant :

- siège trop haut ou trop bas ;

- table d'une hauteur disproportionnée par rapport à sa taille ;

- assise du siège déséquilibrée (c'est le cas des chaises "défoncées" ou dont les pieds sont d'inégales hauteurs) ; l'adjonction de coussins pour surélever l'assise de la chaise peut comporter les mêmes inconvénients : coussins trop mous, ou aplatis d'un côté et rebondis de l'autre, etc., qui contraignent l'enfant à "compenser" le déséquilibre.

Ces détails matériels peuvent paraître secondaires. Il n'en est rien : ce type de mauvaise posture dite "d'adaptation" entraîne, à la longue, un développement disymétrique de la musculature profonde de la colonne : les petits muscles directement reliés aux vertèbres s'hypertrophient d'un côté et s'étiolent de l'autre, ce qui crée un déséquilibre général de toute la statique vertébrale.

⇨ – Un conseil : renseignez-vous auprès de l'institutrice pour savoir comment se tient votre enfant à l'école, et examinez le mobilier sur lequel il travaille. S'il vous paraît défectueux, réagissez, au besoin avec d'autres parents, auprès de la directrice pour qu'un mobilier mieux approprié soit mis en place.

– Si votre mobilier et celui de l'école sont convenables et que, néanmoins, votre enfant se tient le plus souvent penché d'un côté, alors il faut consulter... un oculiste et/ou un otorhino-laryngologue. En effet, ce type de mauvaise posture est souvent provoqué par une anomalie unilatérale de la vue et/ou de l'ouïe ! Il peut être myope d'un œil, ou plus ou moins sourd d'une oreille.

L'enfant devant la télévision

Voici une autre attitude qu'il convient de combattre sans relâche : c'est celle de l'enfant qui regarde la télévision, allongé sur le ventre, sur la moquette ou le tapis du salon, tantôt appuyé sur ses 2 coudes, la tête reposant sur les mains, tantôt affalé sur le côté, ou adoptant d'autres positions toutes aussi dangereuses. Il inflige un véritable supplice à sa colonne vertébrale !

⇨ – Exigez fermement qu'il s'installe correctement sur un siège confortable, à la bonne hauteur. Les séances devant le petit écran ne devraient jamais dépasser 3/4 d'heure pour un jeune enfant (moins de 10 ans). On pourra être un peu plus laxiste avec l'adolescent. Vous lui éviterez, et vous vous éviterez, bien des soucis et des nuits agitées par des maux de dos. Ou pire encore.

Une mauvaise posture, fréquente chez les jeunes gens

Il existe une forme de "mauvaise posture générale", assez répandue chez les enfants de plus de 10 ans et les adolescents, que les spécialistes appellent attitude ou habitus asthénique. Elle est très caractéristique (évoquant la silhouette de Gaston Lagaffe, le célèbre personnage de bande dessinée) : le sujet est hypotonique, lymphatique, peu musclé, longiligne ; il se tient dans une position de flexion des genoux et des hanches, un enroulement en avant des épaules (épaules tombantes et plus ou moins projetées en avant, thorax rentré), la région sacro-lombaire très creuse (hyperlordose), le haut du dos voûté (hypercyphose dorsale), le cou creusé (hyperlordose cervicale).

Cette attitude, qui peut entraîner de sérieux problèmes vertébraux si on n'y remédie pas, est facile à corriger :

 – Gymnastique spécialisée, kinésithérapie, musculation en douceur, reminéralisation de longue durée, soutien psychologique (l'enfant présente souvent une attitude négative devant la vie et ne semble pas beaucoup s'intéresser à ce qui se passe autour de lui).

La puberté chez la petite fille

Examinons enfin un moment particulièrement

délicat pour le développement vertébral : c'est le passage de l'enfance à la puberté chez la petite fille. Les transformations morphologiques (les caractères sexuels secondaires commencent à apparaître) s'accompagnent de brusques poussées de croissance.

Ces changements se traduisent par une fragilisation psychologique importante, qu'il faut absolument soutenir : les parents doivent l'entourer d'une affection plus explicite, et au besoin faire appel à un psychologue spécialisé avec qui ils collaboreront étroitement.

En effet, c'est au cours de ce passage difficile que très souvent une discrète scoliose inoffensive peut prendre un cours beaucoup plus grave (voir plus loin).

D'autre part, la petite adolescente a tendance à arrondir les épaules dans une attitude typique (voir fig. 4, page 181), croyant que par ce stratagème elle cachera ses seins naissants qui lui donnent déjà un air de jeune femme. Si elle ne se redresse pas, elle risque de prendre l'habitude d'une posture de repli qui aboutit à une hypercyphose dorsale, et plus tardivement à une bosse de bison. Là encore, le soutien affectif familial et/ou psychologique remettra rapidement les choses en ordre, si l'on ne tarde pas à agir.

⇨ – Des exercices de correction sont souhaitables : étirements des ligaments vertébraux et des muscles ischio-jambiers, tonification des muscles érecteurs du rachis. La pratique de la danse classique est un excellent moyen de remédier ou même de prévenir ces troubles,

Figure 4

surtout si la fillette a commencé un entraînement vers 5-6 ans.

Les principales affections vertébrales que l'on peut prévenir chez l'enfant et l'adolescent

Certaines affections vertébrales apparaissent
très tôt dans la vie et peuvent devenir de véritables calvaires à l'âge adulte. Mais dépistées et
traitées précocement et convenablement par un
spécialiste, plus de 98 % d'entre elles ne laissent
aucune séquelle après la fin de la croissance.
Les principales sont :

1 - La scoliose

C'était jusqu'à il y a peu de temps la terreur
des familles. Non sans raison.

Comment la détecter ?

Rappelons d'abord ce qu'est la scoliose (voir
pour plus de détails la 2è Partie). La scoliose est
une déviation latérale, plus ou moins prononcée,
de la colonne vertébrale. Normalement, quand
on regarde le dos d'une personne en se mettant
derrière elle, on voit que l'épine dorsale forme
une ligne droite, depuis les vertèbres cervicales
jusqu'au sillon fessier. Il y a scoliose lorsque
cette ligne n'est pas droite et se trouve déportée
à droite ou à gauche de l'axe dorsal.

Plus l'angle de la colonne dorsale par rapport
au "socle" qu'est le centre du bassin, est important, plus la situation est grave. En effet, cette
déviation est anormale et entraîne des désordres
à tous les niveaux de l'architecture vertébrale,

avec des conséquences plus ou moins graves selon l'importance de l'angle de déviation.

Mais ce n'est pas si simple...

On pourrait croire, selon cette définition, que n'importe qui peut dépister une scoliose. Ce n'est pas vrai ; au contraire, c'est une affection difficile à détecter, d'autant plus qu'elle est totalement indolore.

Pour des parents, les seuls repères, d'une fiabilité très aléatoire au demeurant, sont subjectifs : l'impression que l'enfant a une épaule plus haute que l'autre, qu'une hanche paraît plus forte que l'autre, ou que la jupe ou la robe de la fillette "tombe" plus bas d'un côté que de l'autre. Toutefois, en présence de tels signes, la consultation d'un spécialiste est indispensable, ne serait-ce que pour se tranquilliser. Le praticien peut déceler l'anomalie au cours d'une simple auscultation par des tests appropriés, avant même d'ordonner des radiographies. Donc dans le doute, consultation médicale impérative.

Les 2 formes de la scoliose

Il faut savoir d'autre part, qu'il existe 2 formes de scoliose (fig. 5, page 184) :

- la première ou "fausse scoliose", est appelée attitude scoliotique ;
- la seconde, la "vraie scoliose", est dite scoliose structurale.

La fausse scoliose ou attitude scoliotique

L'attitude scoliotique représente l'immense majorité des "scolioses". Elle est provoquée :

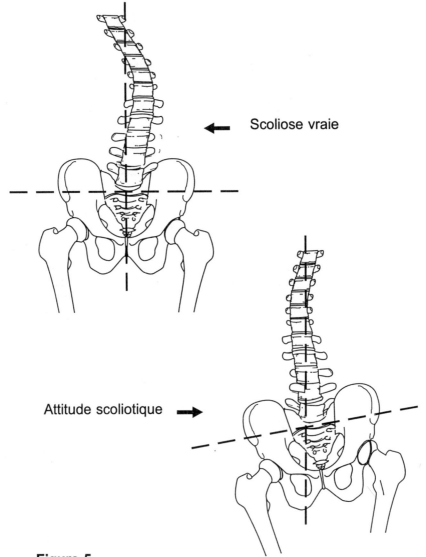

Figure 5

1) Par les mauvaises postures adoptées par l'enfant pendant un long temps - d'où l'intérêt de corriger sans cesse les mauvaises postures, comme indiqué ci-dessus -.

2) Par un déficit (hypotonie ou hyperlaxie ou relâchement) de la musculature vertébrale profonde.

L'attitude scoliotique ne provoque pas de déformations des vertèbres elles-mêmes : c'est l'empilement de celles-ci qui est perturbé. Cependant, si l'on ne rétablit pas un empilement vertébral correct, des désordres secondaires ne manquent de survenir, et ils peuvent provoquer des troubles sérieux. D'où l'extrême nécessité de faire les corrections indispensables pendant l'enfance ou l'adolescence, avant que l'anomalie ne s'installe durablement.

Or, il faut souligner que 100 % des attitudes scoliotiques traitées précocement et avec des moyens thérapeutiques appropriés, ne laissent aucune trace à l'âge adulte.

La vraie scoliose ou scoliose structurale

La vraie scoliose ou scoliose structurale, heureusement beaucoup moins fréquente que la précédente, est autrement plus grave. Dans ce cas, les vertèbres sont déformées et subissent une rotation, ce qui a pour conséquence de bouleverser profondément toute l'architecture de la colonne, y compris les courbures physiologiques.

Frappant surtout les filles (80 % des cas), c'est une affection évolutive, c'est-à-dire qu'en l'absence d'un traitement adéquat, elle s'aggravera irrémédiablement et dangereusement avec le temps : elle peut entraîner une disgrâce esthétique de la silhouette, et surtout, de sévères troubles cardiaques et/ou respiratoires.

Il s'agit donc d'une maladie grave qu'il faut impérieusement prendre en compte le plus tôt possible - ce qui justifie amplement un examen semestriel de la colonne de l'enfant par un spécialiste -.

La scoliose structurale pose un véritable problème médical : on ne découvre une cause objective de la maladie que dans 20 % des cas ; pour les 80 % restants, personne n'est en mesure de donner une étiologie rationnelle !

Les causes connues sont :

- malformations congénitales (pied plat unilatéral, vraie jambe courte, genoux asymétriques, luxation congénitale de la hanche, etc.),

- séquelles de la paralysie de certains muscles vertébraux (comme dans la poliomyélite),

- lésions diverses d'éléments vertébraux, secondairement à diverses affections.

La gravité de la scoliose structurale varie avec l'âge de l'enfant

- Chez le nourrisson, où elle se rencontre aussi, l'évolution spontanée est très favorable, sans aucune séquelle ultérieure.

- La forme la plus pernicieuse est celle qui apparaît chez l'enfant de moins de 4 ans : si 20 % des cas guérissent spontanément à cet âge, la très grande majorité des cas évolue en s'aggravant, en l'absence d'un traitement rigoureux. La déviation de la colonne peut atteindre des angles extrêmement importants, d'autant plus difficiles à rattraper que l'on tarde à soigner l'enfant. D'où l'absolue nécessité d'une surveillance au moins biannuelle de la colonne des enfants entre 2 et 4 ans, même si aucun signe inquiétant n'est perceptible.

– Lorsque l'affection apparaît au-delà de l'âge de 4 ans et jusqu'à la puberté, le pronostic est moins sévère que le précédent ; mais les risques d'aggravation demeurent élevés, en l'absence de soins intensifs spécialisés.

– Entre la puberté et la fin de la croissance, on rencontre des formes beaucoup moins sévères, surtout chez les filles. Les traitements sont moins lourds.

La scoliose structurale relève du spécialiste

Le traitement de la scoliose structurale relève toujours du spécialiste. Afin que les parents puissent prendre toutes leurs responsabilités, nous devons souligner 2 points essentiels :

– Ce traitement est toujours long, difficile, parfois très pénible pour l'enfant. Plus on tarde à alerter le médecin, plus l'enfant souffrira.

  • Dans les cas les moins sévères, il faudra recourir au moins à une rééducation intensive quotidienne.

  • Dans les formes assez graves, le port d'un corset plâtré ou d'un corset orthopédique (type Milwaukee, par exemple) se révèlera indispensable.

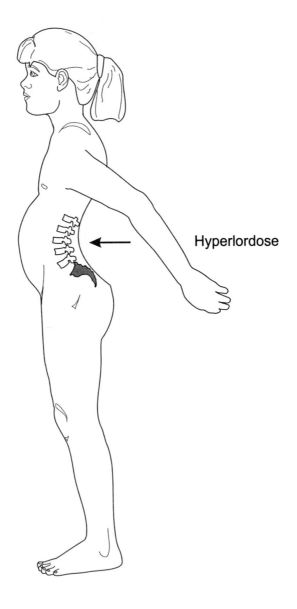

Hyperlordose

Figure 6

- Enfin, dans les cas les plus sévères, seule la chirurgie pourra améliorer la situation.

– Toutefois, en dépit des contraintes si pénibles que l'on vient d'évoquer, le traitement est absolument nécessaire, compte tenu des risques vitaux qu'une scoliose structurale peu ou mal soignée fait peser sur l'avenir de l'enfant.

2 - L'hyperlordose lombaire

L'hyperlordose lombaire de l'enfant est un trouble relativement fréquent (fig. 6, page 188).

Elle concerne davantage les filles

Elle frappe en effet plus souvent les filles que les garçons. Elle est consécutive à une habitude de mauvaises postures.

Toutefois, chez la fille, elle s'explique d'abord par la faiblesse relative de la musculature féminine, en particulier celle de la ceinture abdominale. En outre, la petite fille "s'agite" moins que le garçonnet ; elle pratique peu d'activités sportives. Comme elle est condamnée à porter des cartables aussi lourds que ceux de ses camarades masculins, l'hyperlordose est nettement plus accentuée chez elle.

Cette anomalie de la courbure lombo-sacrée est insuffisamment prise en compte, y compris en médecine scolaire. Pourtant, les conséquences, sans être dramatiques, peuvent néanmoins provoquer des gênes ou même parfois être à l'origine de troubles sérieux : grossesses difficiles, ptôse (ou chute) de certains organes abdominaux, usure des disques intervertébraux prédisposant à une arthrose prématurée, fragilité osseuse du segment lombo-sacré au moment de la ménopause, etc.

Une intervention rapide la corrige facilement

Cette forme d'hyperlordose peut cependant être corrigée facilement si l'on intervient précocement. Il suffit que la fillette pratique quelques sports comportant des étirements comme le volley-ball ou la danse, ou encore la natation.

La kinésithérapie donne d'excellents résultats, à condition qu'il y ait un suivi régulier jusqu'à la fin de la croissance.

3 - L'hyper-cyphose

L'hypercyphose ou "dos rond" est également un trouble fréquent chez l'enfant et l'adolescent.

Souvent d'origine posturale

Dans la grande majorité des cas, elle est d'origine posturale :

- l'enfant travaille à l'école ou à la maison sur du mobilier inadapté (chaise trop haute par rapport au plan de la table, ce qui l'oblige à courber la tête pendant des heures) ;
- cartable trop lourd qui entraîne une hyperlordose lombaire et une hypercyphose de compensation ;
- etc.

Hypercyphose "pudique"

Notons une forme d'hypercyphose que l'on pourrait appeler "hypercyphose pudique", propre à la petite fille et survenant au moment de la puberté (elle rentre la poitrine pour dissimuler ses seins naissants, comme nous l'avons déjà indiqué plus haut).

L'hypercyphose juvénile

Une forme très particulière d'hypercyphose juvénile est provoquée par la maladie de Scheuermann, appelée aussi dystrophie rachidienne de croissance.

Pour des raisons encore mystérieuses, chez certains enfants, les plaques cartilagineuses recouvrant les plateaux de certaines vertèbres subissent des lésions :

– parfois, elles perdent de leur résistance et favorisent la pénétration de fragments de tissu discal dans le corps vertébral, donnant naissance à des nodules ou à des hernies intraspongieuses ;

– d'autres fois, la plaque cartilagineuse se plisse, se gondole sous l'effet des compressions discales.

Le résultat est la constitution d'un plateau vertébral décompensé alors que normalement, les parties avant et arrière du plateau sont d'égale hauteur. Or, dans la maladie de Scheuermann, la partie arrière est surélevée par rapport à l'avant. Il suffit que 3 ou 4 vertèbres adjacentes soient atteintes pour former un arc arrondi vers l'extérieur.

Les douleurs permettent d'alerter le médecin

Cette forme d'hypercyphose provoque des douleurs, ce qui permet d'alerter assez précocement le médecin. En règle générale, une rééducation progressive permet de corriger la plupart de ces anomalies, sans séquelles.

Dans quelques cas assez rares, le traitement comporte le port d'un corset plâtré. Très exceptionnellement, on recourt à la chirurgie lorsque le "dos rond" a véritablement une allure bossue.

4 - La spondylolyse

C'est une affection qui apparaît assez tôt : vers l'âge de 7 ou 8 ans.

Caractéristiques

Elle se caractérise par une fissure ou même une rupture de l'isthme articulaire qui relie l'arc antérieur à l'arc postérieur d'une vertèbre (voir en 1ère Partie). Elle est en rapport avec un déséquilibre général de la colonne qui se traduit par une hyperlordose.

Ce sont surtout les garçons qui pratiquent intensivement certains sports (particulièrement la lutte, le judo, l'haltérophilie et la plongée sous-marine), qui en sont affectés.

L'affection est découverte au cours d'une lombalgie très douloureuse, par la radiographie ou mieux, par la scintigraphie.

Pour la traiter, réduisez le sport

Un traitement approprié, le plus souvent associé à une renonciation ou au moins à une modération de l'activité sportive en cause, doit être entrepris sans tarder.

Mal soignée, une spondylolyse évolue vers un spondylolisthésis (glissement en avant de la 5ème vertèbre lombaire), et plus exceptionnellement une spondyloptose (glissement complet de la 5è lombaire qui se retrouve presque en avant du sacrum).

Conseils pour un dos bien construit

Nous nous sommes volontairement attardés sur les problèmes de dos de l'enfant et de l'adolescent. La raison, évidente, saute aux yeux : c'est dans l'enfance et l'adolescence que l'on "construit" son dos ! Si la construction est bancale, nul doute qu'à l'âge adulte, les effets des négligences cumulées se feront cruellement sentir. Par contre, une construction bien solide, bien charpentée, constitue un capital précieux grâce auquel on échappera aux aléas inévitables de la vie. Comme l'on dit, "petites causes, grands effets" ! C'est en s'attachant à surveiller les petits gestes quotidiens, les "bobos" mineurs survenant dans l'enfance et l'adolescence que l'on peut prévenir bien des désagréments plus tard.

Enfin, il faut savoir que presque tous les désordres vertébraux de l'enfant et de l'adolescent, traités à temps, peuvent être définitivement éliminés avec des moyens thérapeutiques simples, ne comportant pas de contraintes traumatisantes. Ces moyens peuvent être efficaces jusqu'à la fin de la croissance. Au-delà de cet âge, le rôle du chirurgien risque de devenir de plus en plus prépondérant - du moins pour les affections sortant du cadre du mal de dos banal... lequel peut cacher, parfois, quelque chose de beaucoup plus sournois, passé inaperçu jusque-là !

3 - Le dos de l'adulte

L'adulte n'est jamais qu'un ancien enfant et adolescent. Il serait inutile de rappeler ce lieu commun, s'il n'avait des implications pratiques précises et fondamentales.

En atteignant l'âge adulte, chacun d'entre nous possède un capital - physique, psychique, intellectuel. Le problème qui se pose alors, est de savoir comment on va gérer ce capital. Si l'on est du genre "dilapidateur", on aura vite fait de se retrouver "sur la paille" : avant même la quarantaine, les problèmes commencent à s'accumuler, et les problèmes de dos sont parmi les premiers, et souvent les plus pénibles, à apparaître.

"Un esprit sain dans un corps sain"

Qui ne connaît autour de lui de ces jeunes hommes ou femmes de 30-35 ans qui ne cessent de se plaindre à longueur d'année, comme si leur âge réel était le double de leur âge d'état-civil ? Ce genre d'individus vieillissent prématurément et fort mal. Mais ils ne peuvent s'en prendre qu'à eux-mêmes.

Au contraire, une gestion sage, économe, du capital, assure une vie épanouie et sans problèmes majeurs (sauf accident, bien entendu) jusqu'à un âge très avancé. Cette gestion passe par une attention, nous allions dire par un respect de soi-même. Il suffit d'un minimum de prévention et d'entretien de son corps et de son esprit.

C'est ce que nous développerons dans les deux chapitres ci-après : le dos au quotidien et le programme d'entretien préventif du dos. Les conseils et exercices qui y figurent peuvent, du reste, intéresser utilement l'adolescent comme la personne, après la soixantaine : il suffira dans ces cas, d'adapter, de moduler les programmes en fonction des possibilités individuelles.

Nous renvoyons donc l'adulte (de 20 à 60 ans) à ces chapitres, car il n'y a pas de mal de dos spécifique à l'adulte, comme il en existe pour l'enfant, l'adolescent et la personne âgée.

Un cas particulier : la femme ménopausée

La ménopause est un phénomène naturel qui survient chez la femme un peu avant ou un peu après la cinquantaine. Il se caractérise essentiellement par la disparition plus ou moins brusque des règles et l'arrêt de la fonction ovarienne.

Outre certains troubles neuro-végétatifs et des modifications morphologiques bien connus, la ménopause entraîne chez certaines femmes - dans une proportion mal évaluée à l'heure actuelle - un trouble important de l'assimilation du calcium. Il s'ensuit une carence calcique fonctionnelle qui se traduit par une perte de la substance osseuse pouvant atteindre jusqu'à 50 %, après 60 ans. Les os deviennent donc très fragiles, et sujets à des fractures fréquentes et souvent difficilement réparables.

Le processus très complexe qui lie production hormonale ovarienne et assimilation calcique, demeure en partie mystérieux. Le plus étonnant est que l'on a observé un processus de décalcification avec ostéoporose comparable chez les cosmonautes ayant effectué un long séjour dans l'espace !

3 manières de prévenir les effets de la ménopause

On peut sinon prévenir, du moins limiter sensiblement les effets négatifs de la ménopause.

L'alimentation

– D'une part, il faut que l'alimentation de la petite fille, puis de l'adolescente et enfin de la femme jeune - surtout avant, pendant et après chaque grossesse - soit très riche en apports de calcium et de phosphore, de manière que le capital osseux soit le plus élevé possible à l'orée de la ménopause.

Les spécialistes ont noté une incidence très importante de la densité osseuse sur l'apparition de l'ostéoporose. Il faut savoir que la décalcification peut débuter vers la trentaine (1/3 des femmes en sont atteintes, à des degrès divers). Par conséquent, la composition de l'alimentation quotidienne exige une attention toute particulière.

Les produits les plus riches en calcium (lait et produits laitiers, poissons, légumes frais et secs) ne sont pas parmi ceux qui font grossir le plus ; donc, on peut en consommer raisonnablement, sans craindre de prendre du poids. Le lait et ses dérivés, débarrassés d'une grande partie des lipides, restent excellents comme source de calcium - et d'un coût très modéré. Au besoin, on pourra aussi compléter la ration calcique avec des produits vendus en pharmacie.

Les traitements hormonaux

– D'autre part, il existe des traitements hormonaux de substitution qui visent à remplacer la défaillance de la sécrétion ovarienne naturelle. Ces traitements doivent toujours être prescrits par un gynécologue spécialisé, de préférence le même gynécologue qui a suivi le sujet pendant les 10 ou 15 dernières années avant la ménopause. La prescription doit être suivie à la lettre.

Ces petites précautions, justifiées par quelques (rares) dérapages, étant prises, on ne peut qu'encourager toutes les femmes, même en l'absence de troubles ostéopathiques, à suivre un traitement hormonal. Non seulement celui-ci favorise considérablement l'assimilation calcique normale et protège le capital osseux, mais de plus, il a des propriétés préventives contre les maladies cardio-vasculaires ; il régule aussi le taux de cholestérol.

L'activité physique

– Enfin, on ne négligera pas l'activité physique. Quelques exercices simples mais quotidiens permettent à la musculature, qui a tendance à s'étioler, de se maintenir à un niveau de tonicité satisfaisant.

Une étude expérimentale récente (décembre 1996) menée par des chercheurs aux États-Unis, a donné des résultats étonnants : elle a montré que les signes d'ostéoporose disparaissent pratiquement chez une femme ménopausée lorsque celle-ci fait une marche d'1 heure au moins par jour, en portant un cabas à chaque main.

Mais ce phénomène n'est pas encore scientifiquement expliqué. Inutile donc, de vous transformer en porteuse d'eau ! Il pourrait simplement s'assimiler, peut-être, à une forme d'activité physique, très efficace en l'occurrence. Cela devrait vous encourager à effectuer vos exercices (décrits plus loin) avec régularité et enthousiasme, et sans aucun danger.

4 - Le dos après la soixantaine

C'est après la soixantaine que chacun d'entre nous est ou sera confronté à la vérité de son dos. Comme le dit l'adage populaire : *"Qui sème le vent récolte la tempête"*.

Vous avez pris soin de votre dos pendant vos 60 premières années, vous n'aurez rien à redouter (sauf accident).

Vous avez été négligent ou paresseux, il faut vous attendre à quelques désagréments.

Cependant, il n'est jamais trop tard, encore une fois : même après la soixantaine, on peut encore tenter de sauver l'essentiel.

Avant de parler des principaux troubles et maladies de la colonne vertébrale qui nous guêtent au-delà de 60-65 ans, examinons les facteurs aggravants et la manière de les combattre aussi efficacement que possible.

Les facteurs aggravants et les remèdes

L'alimentation

L'alimentation : avec l'âge, on s'alimente de moins en moins convenablement. Les déficits les plus nocifs concernent surtout les sels minéraux, les oligo-éléments et les vitamines.

Il est indispensable que les besoins soient largement couverts, au besoin par des apports sous forme de compléments (sur prescription médicale : les "cocktails" minéraux-vitamines couramment vendus sont généralement peu efficaces car peu ou mal assimilés par la muqueuse intestinale).

 L'idéal serait de :

– Composer des menus avec des aliments naturels frais, avec une dominante de légumes (surtout verts, comme les salades, haricots verts, choux, etc.) et fruits (agrumes, pommes, raisins,...) et de produits laitiers (n'oubliez pas que vous avez de grands besoins en calcium ! Fromages frais et yaourts maigres, mais pas "allégés", sont excellents de ce point de vue).

– Réduire sensiblement la consommation de viandes, de graisses (éviter les graisses d'origine animale cuites), de sucres (surtout les sucres raffinés) et de conserves.

– À moins de le consommer frais, non cuit, le beurre sera avantageusement remplacé par de l'huile d'olive vierge première pression à froid (elle protège aussi les artères).

Il faut conserver de bonnes habitudes alimentaires : 3 repas par jour, bien équilibrés et pris à heures fixes.

Les boissons

La boisson est souvent négligée par les personnes âgées : c'est un tort, car un déficit hydrique peut être à l'origine de troubles rénaux ou urinaires sérieux.

 – Il faut boire au moins 1,5 à 2 l d'eau légèrement minéralisée par jour, de préférence en dehors des repas.

▲ – Les boissons alcoolisées sont évidemment déconseillées (au maximum un verre de vin au déjeuner et au diner).

Surveillez votre dentition

Un autre point important, en rapport avec l'alimentation : la dentition. On la néglige souvent.

Il est essentiel de faire remplacer toute dent malade le plus tôt possible. En dernier lieu, même une prothèse complète sera préférable à l'absence d'une grande partie de la dentition. Car la mastication des aliments a un rôle physiologique de première importance. Faute de pouvoir mastiquer, on sera contraint d'avaler des aliments en bouillie ou quasi liquides : la constipation est alors inévitable - et elle a des répercussions sur l'état de la colonne vertébrale en favorisant le relâchement des muscles abdominaux.

La chasse aux kilos

Enfin, il faut faire la chasse aux kilos superflus ! C'est-à-dire, maintenir son poids dans des limites raisonnables : au maximum 10 % de plus par rapport à celui que l'on pesait à 30 ans (si ce poids était normal ou très proche de la normale à ce moment-là).

Les kilos en trop sont stockés dans les replis de graisse abdominale qui ont un double effet négatif : étouffer les muscles de la ceinture abdominale et tirer la colonne vertébrale en avant, ce qui contracte fortement les muscles du rachis en arrière et aggrave les arthroses lombaires, notamment.

Bougez, sortez, ne restez pas isolé

La sédentarité est un autre fléau qui menace la colonne de la personne âgée. Peu ou pas d'activités physiques ; raréfaction des relations sociales, par la force des choses. C'est à l'approche de la soixantaine que l'on doit commencer à préparer ce nouvel âge de la vie où l'on va devoir vivre de plus en plus au ralenti et dans un relatif isolement. Il faut prévoir de nouveaux centres d'intérêt : clubs, programme de voyages, etc.

L'un des dangers dont on sous-estime la nocivité est l'isolement social : or, c'est là une des causes majeures du stress du Troisième Âge - et le stress finit par former une sorte de gangue de raideurs et de rétractions dans laquelle le corps se retrouve enfermé, et la colonne vertébrale transformée en une espèce de piquet rigide et douloureux !

Et, pas d'excès avant...

Rappelons pour mémoire, qu'un sujet vieillira plus vite et plus mal si, dans son passé, il a abusé de certaines substances nocives ou toxiques telles que : tabac, alcool, café, thé, drogues (y compris celles prétendûment "douces"), médicaments (surtout dans les cas d'auto-médication). Son organisme se retrouve, à la soixantaine, littéralement surchargé de toxines et de dépôts de déchets divers qui, non seulement ralentissent le métabolisme général, mais encrassent parfois dangereusement certains organes (artères, veines, foie, reins, sphère uro-génitale, etc.). Les fonctions d'assimilation et d'élimination sont alors gravement perturbées. C'est avant, c'est-à-dire entre 20 et 50 ans grosso modo, qu'il faut agir ou réagir.

Les principales affections vertébrales du Troisième Âge

Le Troisième Âge est la période de la vie où le mal de dos est le plus fréquent, et où ce mal de dos relève le plus souvent d'atteintes ostéopathiques.

Pour vous fixer un peu mieux les idées

Voici approximativement - il n'existe pas encore d'étude épidémiologique systématique sur la question - comment se distribuent la fréquence et la nature du mal de dos, selon les âges :

– Moins de 20 % des enfants et adolescents se plaignent, à un moment ou un autre, de douleurs dorsales de toutes sortes ; ces souffrances sont dues à des dérangements mineurs dans 95 % des cas ; donc seuls 5 % relèvent d'une affection ostéopathique vertébrale vraie, quelle qu'en soit la cause. Cela représente une faible proportion sur la population enfantine et adolescente générale.

– Chez l'adulte actif, on doit distinguer 2 tranches d'âge :

• De 20 à 40 ans, près de 50 % des sujets se plaignent d'un mal de dos, qui relève dans 80 % des cas d'un simple dérangement vertébral mineur ; mais 20 % des "malades" souffrent d'une atteinte de la colonne.

• Dans la tranche des 40-60 ans, la proportion des malades du dos augmente sensiblement : 2 sujets sur 3 environ se plaignent de leur dos. Là encore, la proportion des douleurs d'origine mineure reste majoritaire : 60 à 70 % environ. Mais les souffrances provoquées par des atteintes ou des lésions, le plus souvent réversibles, de l'appareil vertébral témoignent de l'émergence plus fréquente de réelles pathologies ostéopathiques ;

– Chez les personnes âgées de plus de 60 ans, la proportion de sujets souffrant du dos est de plus en plus élevée avec l'âge, en même temps que l'incidence des douleurs imputables aux dérangements mineurs diminue. Autrement dit, avec le vieillissement, on voit augmenter le risque de vraies maladies de la colonne vertébrale. On doit cependant retenir que même au-delà de 80 ans, près d'1 sujet sur 4 ne se plaint jamais de son dos, ce qui est très réconfortant ! Et ce score pourrait être facilement doublé en une génération : il suffirait de systématiser les contrôles et les suivis médicaux (chose très aisée dans nos sociétés sur-médicalisées), et surtout de promouvoir une politique de prévention et d'entretien individuels - mais là, c'est une autre histoire, car on ne peut mettre un surveillant derrière chaque citoyen...

Dans la pathologie vertébrale de la personne âgée, on retrouve les grandes affections "classiques" liées au vieillissement, à une mauvaise hygiène de vie, au laisser-aller, etc. Les maladies dites idiopathiques, c'est-à-dire d'origine inconnue, sont extrêmement rares.

Le vieillissement muscualire

Les tissus musculaires sont les éléments organiques qui sont les plus sujets au vieillissement prématuré.

L'inactivité

La cause essentielle de ce vieillissement est l'inactivité : moins on sollicite un muscle, plus il s'affaiblit, puis dépérit.

La qualité de l'alimentation joue un rôle important, certes, mais c'est surtout l'absence d'exercice et d'activité physiques qui est responsable de la diminution du volume, de la masse et de la tonicité du muscle. Or, la musculature joue un double rôle du point de vue de la colonne vertébrale :

– D'une part, la masse musculaire participe de manière générale à l'élaboration des tissus osseux. Une déficience des tissus musculaires retentit sur la construction des organes osseux, notamment les vertèbres.

– D'autre part, nous avons souligné en 1ère Partie le rôle essentiel des muscles vertébraux (profonds et superficiels) et des muscles abdominaux dans le maintien et l'équilibration de la colonne érigée. Qu'ils viennent à s'affaiblir, et c'est tout l'édifice vertébral qui vacille.

Or, à un certain âge, la plupart des gens réduisent considérablement leurs activités physiques ; ils arrêtent la pratique sportive, se déplacent à pied de moins en moins. Bref, ils limitent leurs mouvements au fil des ans. Arrivés à la soixantaine, leur musculature est réduite à des faisceaux flasques, sans tonicité.

Les conséquences au niveau de la colonne vertébrale sont importantes : très faiblement soutenus, les disques et les articulations postérieures s'écrasent, provoquant usure prématurée et douleurs !

Une proportion non négligeable des maux de dos de la personne âgée n'a pas d'autre cause. Le pire est que l'on entre facilement dans un cercle vicieux : souffrant du dos par faiblesse musculaire, on réduit encore un peu plus ses activités physiques ; il s'ensuit une fatigabilité excessive qui incite à pratiquer la politique du moindre effort. Ce faisant, on condamne les muscles à une plus grande inertie, ce qui accélère leur dépérissement, qui va parfois jusqu'à l'atrophie musculaire...

La seule solution

Il n'y a qu'un traitement à ce mal : continuer à s'activer, à faire de l'exercice physique, encore et toujours. Ne jamais arrêter, mais moduler, modérer les efforts.

– Il suffit, pour une personne de plus de 60 ans, de 10 à 15 minutes d'exercices quotidiens pour entretenir à peu près correctement sa musculature. À ces exercices, on ajoutera bien entendu un peu de marche à pied (3/4 d'heure à 1 heure ou plus), de la natation, du vélo (sauf contre-indication médicale).

L'ostéoporose

Nous en avons déjà parlé en plusieurs endroits de ce livre. C'est la maladie ostéopathique par excellence de la vieillesse.

De l'influence des sexes

Rappelons qu'il s'agit d'une déminéralisation des os qui les rend très fragiles et cassants. La cause de cette déminéralisation est différente selon le sexe :

- chez la femme, elle est le plus souvent due à un défaut d'assimilation du calcium, défaut résultant de l'arrêt de la fonction ovarienne (auquel on peut remédier par un traitement hormonal adéquat, comme nous l'avons indiqué plus haut) ;
- chez l'homme, l'ostéoporose résulte presque toujours d'une carence en calcium (apports alimentaires insuffisants), d'où l'importance majeure de l'équilibre alimentaire et surtout de l'apport calcique pour le sujet masculin de plus de 60 ans.

Ces 2 données expliquent pourquoi l'ostéoporose sénile apparaît beaucoup plus précocement chez la femme que chez l'homme. La femme possède, intrinsèquement, un capital osseux moins important en volume et en densité. C'est pourquoi, à moins de suivre un traitement hormonal de substitution, elle aura vite fait d'entamer ce capital, dès lors qu'elle assimile mal ou n'assimile plus le calcium (entre 50 et 55 ans en moyenne).

Au contraire, le capital osseux de l'homme est nettement plus consistant. Même avec de faibles apports de calcium, la carence ne joue pas immédiatement son rôle pathologique. Il mettra donc plus de temps à entamer son capital avant d'atteindre la cote d'alerte.

Rappelons que l'ensemble des tissus osseux

de l'organisme humain est intégralement renouvelé tous les 10 ans (c'est ainsi que, à tout moment de notre vie, notre plus vieil os n'a jamais plus de 10 ans d'âge !). Cela explique que l'ostéoporose masculine apparaît le plus souvent après 70-75 ans, alors qu'une femme de 60-65 ans peut en présenter les symptômes.

Les fractures du col du fémur

L'ostéoporose est responsable indirectement des fractures du col du fémur (2 fois plus fréquentes chez la femme que chez l'homme, quel que soit l'âge). Relativement peu douloureuse, la fracture du col du fémur n'en est pas moins redoutable. Elle oblige le malade à rester allongé pendant des mois. Or, cette immobilisation a un retentissement désastreux sur la musculature qui "fond" littéralement. Comme à ces âges avancés, la rééducation musculaire donne des résultats pour le moins modestes, on entre dans une sorte de cercle vicieux...

– Des essais d'implantation de prothèse ont été effectués avec un certain succès. Mais une intervention chirurgicale assez lourde sur un sujet de plus de 80 ans est toujours une opération à haut risque. La prévention reste donc la meilleure parade à l'heure actuelle, en même temps qu'une surveillance médicale régulière (radiographies) afin de déceler l'affection le plus précocement possible. Le médecin prescrira, en fonction de l'état précis du sujet, des médicaments et surtout des conseils pour l'activité quotidienne, qu'il conviendra de suivre très attentivement.

Les fractures-tassements de vertèbres

Une autre conséquence de l'ostéoporose, beaucoup plus douloureuse celle-là, est le risque de fractures-tassements de vertèbres. La fracture-tassement est un effondrement partiel d'une partie de la vertèbre, qui survient dans les cas extrêmes au moindre effort, sans chute le plus souvent. La moelle épinière et les nerfs rachidiens ne sont jamais atteints, ce qui limite les dégâts. Mais les douleurs sont très vives et peuvent durer (trop) longtemps.

⇨ – Le seul traitement à l'heure actuelle est le repos complet dans la position allongée, et des antalgiques puissants. Dans un deuxième stade, la rééducation en piscine est recommandée.

L'arthrose

C'est le lot habituel du Troisième Âge. Considérée comme une affection dégénérative (encore que ce qualificatif inquiétant ne soit pas tout à fait approprié dans ce cas précis), l'arthrose de la colonne vertébrale est beaucoup mieux tolérée que celle des genoux ou des hanches.

Comment se manifeste-t-elle ?

Peu ou pas douloureuse la plupart du temps, elle peut se manifester brutalement à l'occasion d'épisodes inflammatoires, le plus souvent localisés dans la région cervico-brachiale ou lombo-sacrée, avec irradiation dans les membres supérieurs ou inférieurs.

Plus fréquemment, elle provoque des "coincements" passagers, mais douloureux, de tel ou tel segment de la colonne.

Beaucoup plus rarement, elle peut être à l'origine d'un rétrécissement du canal médullaire du rachis.

⇨ – Le traitement habituel consiste en antalgiques et anti-inflammatoires (toujours sur prescription médicale).

Le rétrécissement du canal médullaire

Le canal médullaire du rachis est ce long trou ou tube formé par les trous des vertèbres empilées les unes sur les autres. C'est le "logement" de la moelle épinière, dont les ramifications, les nerfs rachidiens, sortent par les trous de conjugaison, à droite et à gauche de chaque vertèbre.

Le diamètre du canal varie selon les individus : les uns naissent avec un canal large, d'autres avec un canal étroit. Normalement, le diamètre reste constant toute la vie. Mais il peut subir en certains endroits un rétrécissement pathologique, provoqué soit par des saillies osseuses de nature arthrosique, soit par des altérations des articulations vertébrales postérieures, ou encore par le bombement de disques dégénérés et calcifiés.

Ce rétrécissement local comprime plus ou moins la moelle, ce qui provoque parfois de vives douleurs, comparables à celles d'une sciatique ou d'une cruralgie, avec lesquelles on les confond parfois.

Le diagnostic est délicat, et exige des moyens exploratoires sophistiqués (scanner, I.R.M.). Les risques de confusion avec d'autres affections de symptomatologie comparable sont en effet élevés, même pour des praticiens expérimentés. En présence de névralgies cervico-brachiales, de sciatique ou de cruralgie récidivantes, la consultation spécialisée est de rigueur.

B

Le dos au quotidien

Nous avons vu que les vraies maladies de la colonne vertébrale, celles qui sont redevables d'un traitement spécialisé médical, chirurgical, kinésithérapique, rééducatif, etc., constituent une faible proportion des "maux de dos".

Ceux-ci, dans leur grande majorité, résultent de simples dérangements vertébraux mineurs - mais qui n'en demeurent pas moins douloureux, voire handicapants (un lumbago ou un torticolis aigus peuvent interdire toute activité professionnelle). Or, ces dérangements mineurs sont toujours consécutifs à des gestes, des postures, des mouvements maladroits ou inappropriés, ou encore exagérés.

Cela veut donc dire que si nous faisions un peu attention à notre comportement, si nous connaissions les gestes ou mouvements potentiellement dangereux, nous éliminerions plus de 90 % des risques de nous faire mal au dos.

C'est précisément le but de ce chapitre : vous apprendre à éviter les mauvais mouvements, à déjouer les pièges qui vous guêtent à chaque instant de la vie quotidienne.

Cela concerne absolument tous les aspects de

l'activité normale d'un individu : sommeil, travail, voyage, sports, loisirs, etc., jusques et y compris, les gestes les plus anodins comme de soulever une valise, de lacer ses chaussures ou de monter un escalier.

Nous allons passer en revue les situations les plus communes qui comportent des risques pour votre dos. Et chaque fois que ce sera possible, un schéma ou une figure illustrera le "bon" et le "mauvais" geste ou mouvement. À chaque lecteur de corriger, selon le cas, son comportement habituel.

1 - Le sommeil et le lit

En moyenne, un homme passe un tiers de sa vie au lit. Autant dire l'importance cruciale de la qualité du sommeil et du mobilier (literie et autres accessoires) qui la conditionne en grande partie. Or, la plupart des gens négligent cet aspect de la vie quotidienne, jugé par eux secondaire, voire sans importance.

Pourtant, le bon état de la colonne vertébrale dépend, pour une bonne part, de la qualité du sommeil et des éléments matériels annexes. En effet, c'est pendant le sommeil que les muscles, et particulièrement les muscles les plus sollicités au cours de la journée, c'est-à-dire ceux du dos, se décontractent en profondeur, que la réhydratation des disques vertébraux s'effectue, que la colonne vertébrale reconstitue sa tonicité et son élasticité. Cela montre à quel point ce facteur est primordial.

Un mauvais sommeil entraîne toujours un

mauvais état du dos : on se réveille courbaturé, de "mauvais poil". Aussi, si vous devez faire un choix, pour des raisons financières principalement, entre une décoration coûteuse de l'appartement qui "éblouira" vos amis ou invités, et une literie dont vous et les vôtres seriez les seuls bénéficiaires, n'hésitez pas une seconde : votre santé et celle de vos proches sont beaucoup plus précieuses que l'appréciation passagère d'autrui sur cet aspect des choses ! Investir dans une literie d'excellente qualité est un placement inestimable.

Comment votre sommeil peut-il être perturbé ?

Examinons maintenant un peu plus en détail le problème du sommeil. Tous les médecins, et même le simple bon sens, vous le diront : le sommeil est aussi vital que l'alimentation, l'hydratation, etc. Sa perturbation a toujours un retentissement négatif sur l'état général, physique et psychique.

Les causes de perturbation sont nombreuses :
– les unes sont de nature organique ou psychologique ;
– les autres sont liées à l'environnement physique.

Perturbations organiques et psychologiques

Notre sommeil peut être troublé ou agité à l'occasion de certains événements : désordres affectifs, ennuis professionnels, poussée de stress passagère, parfois fièvre, grippe ou rhume. Dans tous ces cas relativement bénins, on retrouve un sommeil normal après quelques jours, une semaine tout au plus.

Si le trouble et surtout la perte du sommeil persistent plus longtemps :

– Il est recommandé de consulter votre médecin généraliste dans un premier temps. En effet, la cause du trouble peut être une maladie ou un début de maladie dont vous n'avez pas conscience ; parfois, une poussée de stress que vous vous efforcez vainement de combattre tout seul, à armes inégales.

Le médecin indiquera la marche à suivre, prescrira éventuellement un hypnotique léger, ou demandera des examens complémentaires appropriés.

– Mais dans tous les cas, il faut absolument vous abstenir de prendre de votre propre chef un "somnifère", par exemple celui qui a été prescrit à un membre de votre famille ou à l'un de vos amis. Car les médicaments de ce genre ne sont jamais anodins, et leur consommation intempestive, hors d'un contrôle médical strict, peut avoir de graves conséquences : accoutumance, effets secondaires imprévisibles, voire intoxication.

Perturbations liées à l'environnement physique

Le bruit

Parmi les facteurs environnementaux du trouble du sommeil, le bruit tient une place à part. Il est souvent très difficile de faire cesser la source de nuisance (voisinage bruyant, route à grande circulation au bas de l'immeuble, etc.).

– Nous vous recommandons de vous informer, de bien étudier la situation du logement que vous allez occuper avant de signer un bail ou, plus sérieux, l'acte d'acquisition notarié. Après, le piège se referme, et il vous faudra dépenser beaucoup d'énergie, de temps et d'argent pour vous en sortir.

La température

Le froid et le chaud sont aussi responsables de bien des nuits de sommeil inconfortable. Mais là au moins, cela ne dépend que de vous pour y remédier.

– La température idéale d'une chambre à coucher se situe entre 18 et 20°, selon que vous êtes plus ou moins frileux. Mieux vaut ajouter une couverture supplémentaire que de régler le thermostat du radiateur à 22° : l'air ambiant surchauffé perturbe le rythme respiratoire lent en phase de sommeil.

– À l'inverse, une température trop basse contraint l'organisme à réagir, notamment par des frissons : c'est alors l'indispensable relâchement musculaire qui se trouve perturbé.

La literie

Nous en arrivons à l'essentiel : la literie. Un vrai casse-tête ; la quadrature du cercle !

A priori, tout semble très simple : un bon lit est un lit qui est à la fois ferme et suffisamment souple. Mais les choses sont beaucoup plus compliquées :

– D'abord, chacun a une idée personnelle de la notion de fermeté et de souplesse.

– Ensuite, certains préféreront privilégier la souplesse aux dépens de la fermeté ; d'autres, exactement le contraire.

– Enfin, il y a les habitudes contractées depuis l'enfance, contre lesquelles le plus beau raisonnement, voire la meilleure volonté du monde ne peuvent rien. En effet, jusqu'à une date récente, tous les parents considéraient que leur premier devoir était d'offrir à leurs enfants des lits douillets, moelleux, "cocon-neux", signe de leur affection prévenante. Mais les chercheurs ont démontré, preuves impartiales à l'appui, que cette attitude conduit à des catastrophes vertébrales. Ce n'est évidemment pas l'amour parental qui est en cause, mais les moyens qu'il utilise pour se manifester !

L'importance du matelas

Habituez vos enfants à dormir dans des lits fermes et souples, le plus tôt possible. Mais il ne s'agit pas, bien sûr, de les entraîner au métier de fakir.

– La solution la plus simple et la plus efficace consiste à glisser une planche entre le sommier et le matelas en laine ou en latex assez souple ; cette planche sera en contreplaqué d'1 centimètre d'épaisseur (pas plus, pour éviter une trop grande rigidité), dont les dimensions (longueur et largeur) doivent être très légèrement inférieures à celles du matelas (risques de blessure si les bords de la planche dépassent).

Une erreur commune

Une erreur communément commise dans les familles consiste à donner le lit de l'aîné au cadet, puis au benjamin, et ainsi de suite. Bien entendu, si cette literie est en excellent état, il n'y a aucun inconvénient à cela. Mais l'expérience montre qu'il en est rarement ainsi...

– D'abord tous les enfants aiment sauter sur leur lit, faire des cabrioles ; bref, ils le malmènent ; les ressorts, lorsque le sommier est à ressorts, sont souvent défoncés ; le matelas est bosselé. En quelques années, le lit est bon à jeter à la poubelle.

– Ensuite, d'un point de vue psychologique, le lit est pour l'enfant "son" espace vital inviolable. Il s'y sentira d'autant mieux à l'aise s'il perçoit que c'est "son" lit, et non l'ex-lit de sa sœur ou de son frère aîné. L'aspect symbolique des choses a, en effet, une importance insoupçonnable dans le jeune âge.

Une autre erreur

Une autre erreur aussi fréquente que la précédente, concerne les adolescents en fin de croissance. On a constaté statistiquement que l'adolescent d'aujourd'hui mesure en moyenne 7 cm de plus que son grand-père. Mais, rares sont les parents - et les fabricants de literie - qui ont tiré les conséquences de cette évolution !

On en est resté à l'inamovible longueur (valable il y a quelques décennies) de 1,90 m au maximum pour tous les lits d'adultes, disponibles couramment sur le marché. Or, l'allongement de la taille de la jeune génération devrait faire porter cette longueur à 1,95 m ou, mieux encore pour le confort, à 2 m.

Il faut savoir, en tout cas, que le sommeil est sérieusement perturbé lorsque l'on dort avec les pieds qui dépassent hors du lit : leur poids tire sur les mollets et les muscles ischio-jambiers, et, par contrecoup, sur les muscles lombo-sacrés. La situation n'est guère plus favorable si l'on est contraint de dormir recroquevillé, pour garder les pieds à l'intérieur du lit !

⇨ – En résumé, la literie de l'enfant et de l'adolescent doit :

- être ferme et souple, dès le plus jeune âge ;
- ne jamais être trop molle et informe ;
- être toujours personnalisée, dans la mesure du possible : à chaque enfant, son lit ;
- avoir les dimensions correspondant à la taille ; on choisira un lit plus grand à partir de 4-5 ans, de manière à ne pas être obligé d'en changer avant 12-13 ans ;
- pendant la période de croissance, être adaptée à la morphologie ;
- être suffisamment longue pour les adolescents de grande taille, en fin de croissance.

▲ – Pour les adultes, il faut proscrire les lits douillets, moelleux, qui donnent l'illusion du confort, mais prédisposent aux réveils pénibles. Cela est tout particulièrement valable pour les lombalgiques au long cours, c'est-à-dire les sujets qui éprouvent des sensations douloureuses chroniques "inexplicables" au niveau de la charnière sacro-lombaire, et chez lesquels les examens et les radiographies ne révèlent aucune lésion ou malformation.

Quel lit choisir ? Il existe différents types de lits, chacun ayant ses qualités et ses défauts :

Le classique

Lit composé d'un sommier à ressort et d'un matelas en laine ou en mousse à haute densité, de loin le plus répandu, il serait parfait si les ressorts du sommier n'avaient la fâcheuse tendance à fatiguer et à céder assez rapidement, et le matelas à se déformer.

La durée de vie d'un tel lit ne dépasse pas 4 à 5 ans, quand il est de bonne qualité au départ : il faut alors le remplacer entièrement (ne jamais changer un seul élément, sommier ou matelas, en gardant l'autre élément déjà ancien).

- Il est possible d'améliorer le confort et la durée de vie de ces lits, en glissant une planche en contreplaqué, aux bonnes dimensions, entre le sommier et le matelas.

- Attention : ne faites pas comme certaines personnes qui interprètent mal ce conseil ; elles posent directement la planche sur le matelas (!), étendent les draps et couvertures par-dessus, et se transforment en fakirs malgré elles...

Sachez encore qu'un matelas en laine doit être reconditionné tous les ans ou, à la rigueur, tous les 18 mois : il faut extraire de l'enveloppe toute la laine, la faire sécher au soleil (cela permet au passage de combattre les acariens microscopiques, responsables de bien des allergies), la peigner sommairement pour lui redonner un certain volume et enfin, la remettre dans l'enveloppe (préalablement nettoyée) en la répartissant convenablement.

Ce travail exige un savoir-faire que tout le monde ne possède pas : aussi, est-il préférable de s'adresser à un artisan matelassier.

Le lit à lattes souples

Il constitue un réel progrès ; il assure une bien meilleure souplesse tout en restant ferme.

Les lattes répartissent, en effet, beaucoup mieux le poids du corps selon les parties de celui-ci, évitant les positions en tension par compensation.

 – Toutefois, les lattes doivent être montées sur des rotules, et non directement fixées sur le cadre du sommier ; on veillera à graisser de temps à autre ces rotules, pour leur garder une bonne mobilité.

Le matelas peut être, dans ce cas, en latex assez souple. On notera que beaucoup d'adultes, habitués au classique lit à ressort, s'adaptent mal au lit à lattes. À chacun de choisir ce qui lui convient le mieux.

Le lit à eau

Invention qui nous vient de Californie, ce lit a été perçu comme une véritable révolution au début de son introduction en Europe. Phénomène de mode ? Toujours est-il que les résultats n'ont pas été à la hauteur des espérances.

Rappelons qu'il est constitué d'une poche en tissu très résistant et parfaitement étanche, ayant la forme d'un matelas traditionnel. On le pose directement sur le sol. Un système de chauffage de l'eau, muni d'un thermostat, permet de régler la température au niveau désiré.

Dans le principe, le lit à eau est idéal. Mais les habitudes des uns et des autres en limitent sensiblement l'attrait.

Les lits à changement automatique de position

Signalons enfin les lits à changement automatique de position. Ce sont des produits de luxe à hautes performances, qui autorisent des positions parfaitement adaptées à l'état de la colonne vertébrale.

Mais à l'heure actuelle, en raison principalement de leur prix élevé, ils sont réservés aux services hospitaliers spécialisés qui accueillent des patients souffrant de sévères maladies du rachis, des accidentés poly-traumatiques, des cardiaques, etc.

Le lit conjugal

Le lit conjugal est un autre problème souvent méconnu. Au nom de préjugés irrationnels, la très grande majorité des couples opte pour le lit unique à deux (140 x 190 cm). Car on prétend que dormir séparément "casserait" le couple, que l'affectivité s'en ressentirait, bref que ce serait le début de la séparation irrémédiable !

Rien n'est plus inexact, cependant. Certes, on doit tenir compte de l'aspect symbolique de la question. Dans certaines circonstances - un des deux conjoints traverse un moment difficile sur le plan psychologique, par exemple à la suite de la perte de son emploi ou d'un autre incident comparable -, il est tout à fait naturel et légitime de rechercher auprès de l'autre un réconfort, une chaleur, une présence plus effective que d'habitude.

Mais d'un point strictement objectif, les lits jumeaux constituent la meilleure solution pour des raisons simplement mécaniques :

– D'abord, le lit à deux, de 140 cm de large, a une portance trop grande : il se déforme en son centre qui se creuse parfois considérablement par rapport aux bords.

- Ensuite, les deux conjoints sont très rarement d'un poids corporel équivalent : le plus léger des deux se retrouve "en pente", et doit alors se cramponner au bord du lit pour ne pas tomber dans le creux ; il passe sa nuit dans une position de torsion de la colonne vertébrale qui se solde souvent par un lumbago.

- Enfin, au cours de la nuit, chacun peut être sujet à des rêves ou à des cauchemars, qui se traduisent par des soubresauts, lesquels empêchent l'autre conjoint de bien dormir.

⇨ - Pour toutes ces raisons pratiques, nous vous conseillons vivement d'adopter le système des lits jumeaux. Non seulement vous dormirez beaucoup mieux tous les deux, mais de plus, vous ferez preuve d'un grand respect mutuel, gage d'un attachement affectif vrai.

L'oreiller et le traversin

L'oreiller et le traversin sont des accessoires dont on ne mesure pas toujours l'importance, surtout pour la colonne cervicale. S'agissant du traversin conjugal, c'est-à-dire commun aux deux conjoints, le problème est insoluble : ni l'un ni l'autre ne peut le déplacer et le positionner à sa convenance, sans gêner.

D'une manière générale, l'addition d'un traversin et d'un oreiller aboutit à surélever dangereusement le point d'appui de la tête, ce qui "cisaille" littéralement la nuque : combien de torticolis à répétition forment la rançon de cette aberration !

Si l'on reste attaché au lit commun conjugal, au moins faut-il que chacun ait son traversin et son oreiller, le mieux étant de se contenter d'un oreiller.

⇨ – Celui-ci doit être assez grand, d'une hauteur raisonnable et surtout suffisamment maléable pour que vous puissiez l'adapter, le plier à votre guise.

▲ – Un oreiller trop ferme ne peut pas se prêter à ces manipulations, nécessaires pour lui donner la forme la plus confortable pour la nuque.

⇨ – Il existe un type d'oreiller spécial, dit nucal : il est découpé dans une matière assez souple et ferme à la fois (généralement de la mousse à haute densité), suivant une forme qui épouse parfaitement la courbure physiologique de la colonne cervicale en position couché sur le dos ou sur le côté. Cette forme assure une détente parfaite des muscles cervicaux, tout en préservant les disques.

Particulièrement recommandé aux arthrosiques et à tous ceux qui souffrent de la nuque, il demande un certain temps d'adaptation (2 à 3 semaines, environ).

Dans quelle position dormez-vous ?

Y a-t-il une position meilleure que les autres pour bien dormir ? Vaste question qui est loin de faire l'unanimité, même parmi les spécialites !

En vérité, la meilleure position est celle à laquelle on s'est habitué depuis sa lointaine enfance. Et dans l'enfance, il est pratiquement impossible aux parents d'imposer une position quelconque à leurs enfants. Dans la nuit, ceux-ci reprennent instinctivement celle qui leur convient, et leur semble la plus confortable.

 – Sachez que la position couché sur le dos, la

nuque reposant sur un oreiller bien adapté, les jambes légèrement surélevées (on roulera une couverture sous le matelas, au pied du lit), est celle qui malmène le moins la colonne vertébrale.

Mais cette position n'est pas spontanément acceptée par la plupart des gens. On préfère dormir sur le ventre, ce qui provoque une torsion plus ou moins importante de la colonne cervicale, ou encore "en chien de fusil" (cette fois, c'est la charnière lombo-sacrée que l'on fera souffrir, surtout si elle a perdu de sa souplesse).

De toute manière, nous changeons tous de position plusieurs fois au cours de la nuit ; c'est même l'une des causes de réveil intempestif ! Donc, mieux vaut encore garder ses habitudes, en tâchant d'améliorer le confort (enlever le traversin, changer d'oreiller, etc.).

Dormir hors de chez soi

Le lit hors du domicile habituel : il faut distinguer plusieurs situations possibles.

Dans sa résidence secondaire

Lorsque l'on possède une résidence secondaire, la tentation, à laquelle beaucoup succombent, consiste à y installer les anciennes literies de la résidence principale. Or, la plupart du temps, ces literies ne sont plus utilisables. On croit faire des économies mais, ce faisant, on se gâche les vacances. Votre dos, ou celui de vos proches, sera martyrisé. Et il vous le rappellera douloureusement quand vous reprendrez votre travail.

Donc, apprenez à bien sélectionner les priorités. La superbe tondeuse à gazon ultra-moderne qui vous fait tant envie pourra attendre 2 ou 3 ans sans inconvénient majeur.

 – Investissez plutôt dans une literie de bonne qualité : vous améliorerez ainsi la qualité de votre vie !

À l'hôtel et ailleurs...

S'agissant maintenant des hôtels, locations de vacances, etc., il est rare de trouver des literies de qualité satisfaisante, à moins de se loger dans un 4 étoiles.

Faites le point après la première nuit !

– Si vous vous réveillez, le dos en capilotade, demandez avec courtoisie mais fermeté que l'on vous change lit et matelas.

– À défaut, exigez une planche que vous glisserez entre le sommier et le matelas (de plus en plus nombreux sont les hôteliers qui la proposent spontanément) ; si le loueur n'est décidément pas compréhensif, mieux vaut encore disposer le matelas par terre. Vous vous y habituerez en 2 ou 3 nuits, et votre dos vous en saura gré !

Certaines professions obligent à de fréquents déplacements, et donc à d'incessants changements de lit. Si tel est votre cas, sachez que vous pouvez trouver dans certains magasins d'articles de sports des planches repliables peu encombrantes, légères, qui n'encombreront pas la valise.

– Mais vous pouvez facilement bricoler vous-même une telle planche : il suffira de découper dans du contreplaqué de 1 cm d'épaisseur, 3 planchettes de 60 sur 20 cm chacune ; pour les solidariser de sorte à former une planche rigide de 60 sur 60 (c'est suffisant pour soutenir la colonne), prévoyez un système de verrouillage sur les côtés.

Et n'oubliez pas naturellement que, en vacances, les exercices physiques quotidiens et la pratique sportive, modérée et progressive, surtout la marche et la natation, sont plus que jamais indispensables. Mais ne forcez jamais vos efforts, surtout si vous êtes "rouillé" par des mois d'inactivité !

2 - Les menus gestes quotidiens, ennemis de votre colonne vertébrale

Les milliers de petits gestes que nous effectuons chaque jour sont autant d'occasions de malmener notre dos, voire de provoquer des accidents vertébraux qui, pour être "mineurs", n'en demeurent pas moins des causes de douleurs tenaces. Il faut apprendre ou réapprendre à les contrôler pour éviter tout incident, surtout si l'on a un passé vertébral délicat.

Dès le matin

Le saut du lit : le danger commence dès le réveil ! Certaines personnes prétendument "très actives" ou "dynamiques" se lèvent en fanfare. Passe encore si l'on est relativement jeune, sportif et sans antécédents vertébraux. Sinon, gare à l'incident qui va vous plier en deux de douleurs.

En effet, au moment du réveil, notre esprit encore ensommeillé évalue mal les mouvements. D'autre part, nos muscles sont engourdis et répondent mal aux ordres du cerveau. La combi-naison de ces 2 facteurs produit souvent des faux mouvements, parfois des chutes.

La pire manière de sortir du lit est celle qui consiste à poser les pieds par terre, hors du lit, tandis que le tronc reste encore allongé : en don-nant un coup de reins pour se mettre sur son séant, on réalise alors une belle torsion de la région lombo-sacrée, avec à la clef sinon un lumbago, du moins une douleur fulgurante qui vous handicapera pour le reste de la journée !

⇨ – Pour sortir du lit en toute sécurité, évitez d'abord les gestes ou mouvements brusques ; relevez-vous doucement en vous appuyant sur les 2 coudes, puis sur les mains, de manière à vous retrouver assis dans le lit. Puis, pivotez sur votre séant, toujours en vous appuyant sur les mains, jusqu'à ce que vous puissiez sortir les jambes hors du lit et les poser sur le sol. Enfin, redressez-vous lentement, en prenant appui des 2 mains sur les genoux.

Quand faites-vous votre lit ?

Pour certains, la première tâche domestique de la journée est de refaire le lit aussitôt après en être sorti. En fait, cela est contraire à la bonne hygiène !

⇨ – Il faut l'ouvrir et le laisser s'aérer pendant au moins 1 heure, la fenêtre grande ouverte, si le temps le permet et à condition de se couvrir suffisamment (robe de chambre, peignoir) se-lon la saison.

De toute manière, pour refaire le lit sans s'abîmer les vertèbres, il faut s'agenouiller, et non rester debout jambes en extension.

Les risques de la toilette

Le cabinet de toilette et la salle de bains sont des lieux remplis de pièges, surtout pour les lombalgiques et les arthrosiques. De nombreux gestes et mouvements que l'on y effectue obligent la colonne vertébrale à se positionner en porte-à-faux : se brosser les dents à demi-penché au-dessus du lavabo, se maquiller debout devant un miroir, se raser, se laver le visage courbé sur le lavabo, etc.

Il n'est pas jusqu'au fait de se relever de la selle qui ne comporte un risque.

 – Dans ce dernier cas, il suffirait de sceller dans les murs, à droite et à gauche des WC, des poignées auxquelles on s'accrochera des deux mains pour se relever.

▲ – Les toilettes "à la turque" sont encore plus dangereuses pour la colonne : à proscrire !

Dans la salle de bains, le danger vient souvent de la mauvaise hauteur du miroir par rapport au visage, du lavabo trop bas, de la faiblesse de l'éclairage ou de l'emplacement inadéquat des armoires.

À vrai dire, très peu de salles de bains sont réellement fonctionnelles. C'est un tort, parce que d'une part, nous y passons un temps appréciable qui rend la cérémonie de la toilette souvent pénible, et que d'autre part, certains gestes ou mouvements que nous sommes obligés de faire sont potentiellement générateurs d'accidents vertébraux.

⭢ – Nous vous recommandons, à vous Madame, de vous maquiller confortablement assise devant votre coiffeuse, et à vous Monsieur, de vous raser avec un rasoir électrique (les rasoirs mécaniques traditionnels obligent à des contorsions de la colonne cervicale).

La baignoire : un vrai danger

Pour les personnes d'un âge avancé - mais il faut tenir compte de l'état de chaque individu -, la baignoire est un vrai danger : les chutes avec fracture du col du fémur ou du coccyx sont hélas fréquentes. Avec des jambes qui ont perdu leur souplesse, parfois même enraidies par l'arthrose, enjamber le rebord de la baignoire pour y entrer ou en sortir constitue une sorte de prouesse funambulesque.

Mieux vaut se contenter d'une douche ; il en existe des modèles pourvus d'un siège incorporé (ce qui permet de prendre la douche assis), et de poignées ou de mains courantes qui permettent de s'asseoir et de se relever en toute tranquillité ; cela limite considérablement les risques.

– Pour demander de l'aide en cas de chute, une petite cloche, posée à portée de main avant le bain ou la douche, peut se révéler un instrument salutaire.

– Les sonnettes électriques sont strictement interdites (risques d'électrocution).

Le téléphone sans fil : un progrès inestimable

L'invention du téléphone sans fil et du portable constitue un progrès inestimable, surtout pour les personnes âgées vivant seules et qui auraient besoin d'une aide urgente.

Certains modèles possèdent un système de mémorisation de plusieurs numéros ; pour obtenir un correspondant, il suffit d'appuyer sur une seule touche : pas besoin de se souvenir d'une suite de 10 chiffres et de les composer, surtout dans ces instants de forte poussée de stress, voire de panique, où la mémoire déjà affaiblie par l'âge se trouve bloquée.

Toutes ces précautions visent, on s'en doute, à assurer une relative autonomie le plus longtemps possible, à des âges où l'aspect psychologique (notamment le sentiment de non dépendance) tient une place essentielle dans la vie quotidienne.

S'habiller et se chausser

S'habiller, se chausser : voilà encore d'autres circonstances quotidiennes ennemies du dos !

⇨ – Pour s'habiller, la meilleure solution est de poser tous les vêtements que l'on veut porter sur une chaise juste à côté du lit ; on s'asseoit sur le bord de celui-ci, et l'on commence à les enfiler dans cette position, sans avoir à se baisser et à se casser le dos.

– Même chose pour les chaussettes et les chaussures : on posera un pied après l'autre sur un des barreaux latéraux de la chaise ou mieux encore sur un tabouret.

▲ – Ce qu'il faut éviter, c'est de s'habiller et de se chausser en restant debout, jambes tendues. Le pire est le laçage des chaussures dans cette posture, qui oblige à se casser en deux : la pression qui s'exerce alors sur les vertèbres lombo-sacrées est de plusieurs centaines de kilos ! Si l'on multiplie ce chiffre par 365 (on se chausse tous les jours), on arrive à des poids extravagants. Au bout du compte, on peut être assuré que, avant la cinquantaine, l'arthrose (par usure) aura fait des dégats, quand ce n'est pas une hernie discale qui menace...

- Les chaussures à talons hauts constituent l'autre ennemi intime de la colonne lombo-sacrée : elles obligent à adopter une attitude d'hyperlordose lombaire (cambrure exagérée), avec toutes les conséquences que cela comporte. Le pire est que l'habitude de porter de telles chaussures se corrige très difficilement. Si l'on change de chaussures après des décennies de déformations, la colonne s'oppose à la nouvelle posture lombaire, d'où des douleurs incessantes !

- Les chaussures plates ne sont pas plus recommandables. L'idéal serait que chaque enfant, vers l'âge de 6-8 ans, soit examiné par un orthopédiste qui déterminera la hauteur et la forme des chaussures les mieux adaptées à chaque cas. Un deuxième examen sera effectué à la fin de croissance, lorsque le squelette aura pris sa morphologie définitive.

- Remarque : les vêtements moulants (surtout les pantalons) sont de véritables tortionnaires de la colonne vertébrale. Pour les enfiler, on est obligé de donner plusieurs coups de reins, qui sont autant de micro-traumatismes dont la répétition finit par provoquer des micro-fissures des cartilages articulaires, et donc un vieillissement prématuré.

⇨ - Prenez donc des vêtements amples ; de plus, l'esthétique y gagnera aussi.

Les travaux domestiques

Les travaux domestiques et les tâches ménagères sont des causes fréquentes de dérangements vertébraux mineurs, que l'on peut éviter en prenant quelques précautions simples et de bon sens.

Par exemple :

⇨ – Pour la préparation des repas - éplucher des légumes et des fruits, battre des œufs, préparer une pâte pour une tarte, etc., - il faut toujours s'asseoir à une table, et ne jamais travailler debout, courbé devant le plan de travail qui est, en général, beaucoup trop bas. Au besoin, placez un coussin sur la chaise, et efforcez-vous de tenir votre dos normalement droit, sans cambrure.

Le mobilier

La table de la salle à manger et les sièges qui vont avec, font partie du mobilier trop souvent négligé. On préfère acheter des éléments "clinquants", au détriment d'un matériel bien solide, confortable et parfaitement dimensionné.

⇨ – Les chaises à accoudoirs sont de loin les meilleures : cela évite de s'avachir sur la table, et permet de redresser le dos de temps à autre.

– De même, pour les enfants, si vous voulez qu'ils se tiennent correctement, et si vous ne souhaitez pas qu'ils s'habituent aux postures scoliotiques, n'oubliez pas de prévoir des sièges qui les mettent à la bonne hauteur ; ne placez jamais plus d'un coussin sous leurs fesses : un échaffaudage de plusieurs coussins peut être dangereux pour les plus jeunes.

– Si un enfant est trop petit pour manger avec des adultes, mieux vaut le faire manger à part, dans de bonnes conditions.

– <u>Un autre conseil</u> : ne passez pas votre après-midi ou votre soirée à table, comme on le voit si souvent. Une heure suffit largement pour déguster tranquillement un bon repas en famille ou avec des amis.

Le repassage

Le repassage ne serait plus cette corvée fastidieuse et génératrice de douleurs au niveau des épaules, si :

 – Vous vous installiez sur un siège suffisamment haut devant la table à repasser.

– Vous vous arrêtiez toutes les demi-heures, vous leviez et faisiez quelques mouvements d'étirement du dos (voir plus loin).

Passer l'aspirateur

Passer l'aspirateur est également une tâche ingrate, mais nécessaire, dont le dos est le premier à pâtir. Si vous avez un appartement assez grand (plus de 3 pièces), répartissez le travail sur 2 jours :

 – Le premier jour, nettoyez les pièces "à vivre" : salon, salle à manger, cuisine.

– Le jour suivant, les chambres et les autres pièces. Économisez votre dos !

"Faire les poussières" et les carreaux

Pour la grande majorité des femmes (car la grande majorité des hommes se reposent sur elles... sans leur demander leur avis), "faire les poussières" et nettoyer les carreaux des fenêtres sont parmi les travaux ménagers les plus pénibles.

Et les statistiques leur donnent complètement raison : près d'1 accident vertébral domestique sur 10 est imputable à ces deux tâches ! Ce type d'accident, presque toujours localisé dans la région lombaire, est provoqué par le fait que, ne pouvant atteindre normalement les coins les plus hauts des meubles ou des fenêtres, la ménagère se hisse sur la pointe des pieds, fait un mouvement de torsion du tronc et "vrille" ainsi le bas du dos.

⇨ – Prévoyez donc au moins un escabeau parfaitement stable (les modèles métalliques sont préférables à ceux en bois), dont la marche supérieure, assez large, servira à poser les accessoires (éponge, chiffons, cire, etc.).

Faire les courses

Ce sont les femmes qui, en général, font les courses quotidiennes du ménage, soit que le mari rentre tard du travail, soit tout simplement... par habitude ! C'est une cause fréquente de mal de dos, surtout pour celles qui ont plus de 40-45 ans.

2 conseils :

⇨ – Si vous devez transporter 8 kg (au-delà, ce serait déraisonnable) de denrées diverses, ne les mettez pas dans un même sac : répartissez-les à peu près également dans 2 sacs, que vous porterez 1 dans chaque main. La pression sur les disques vertébraux sera ainsi mieux répartie ; tandis que si le poids tout entier s'exerce d'un seul côté, les muscles du côté opposé se contracteront très fortement pour compenser : d'où un réveil douloureux garanti pour le lendemain !

– Le mieux est de transporter vos courses dans un chariot à roues (un caddie). Mais là aussi, attention : ne le tirez pas avec un seul bras, même si vous alternez avec l'autre bras ; poussez-le devant vous comme vous pousse-riez un landau de bébé.

Mais les choses se compliquent si vous devez le monter sur plusieurs étages, en l'absence d'un ascenceur. Là, plusieurs solutions :

1) Monsieur daigne bien monter le chariot ;

2) Il existe des chariots munis de 3 roues de chaque côté, ce qui permet de franchir sans effort excessif les marches de l'escalier ;

3) Quand vous faites vos achats, répartissez les courses dans plusieurs sacs bien rangés dans le chariot, et que vous monterez 2 par 2, en plusieurs voyages ;

4) Une quatrième solution, beaucoup plus pratique, consiste à vous faire livrer à domi-cile les courses les plus lourdes (cette prati-que, d'un coût très modéré, se généralise dans les grandes villes), de sorte que dans la semaine, vous n'aurez plus à vous préoccuper que des denrées périssables d'un poids sup-portable (pain, lait frais, viandes, poissons, etc).

Remarque très importante : en cas d'ostéopo-rose, le port de charges même légères est stricte-ment déconseillé ; il comporte un grave danger de tassement vertébral, avec son cortège de dou-leurs atroces. La remarque s'applique à tous les malades, quels que soient l'âge et la gravité de l'état.

Mais dans tous les cas, rappelons-le encore une fois, un suivi médical spécialisé est une nécessité absolue.

3 - Le dos et le travail professionnel

Selon le métier ou la profession que nous exerçons, nous avons plus ou moins de chances de conserver un dos dans un état fonctionnel satisfaisant jusqu'au-delà de la retraite. En effet, de ce point de vue-là aussi, il y a bel et bien une inégalité face au fléau du mal de dos !

À vrai dire, cela ne se passe pas exactement comme ça. Nous connaissons tous des personnes, dont le travail paraît, a priori, peu ou pas prédisposant au mal de dos, qui n'arrêtent pas de se plaindre de "leurs reins" ou de leur nuque. Nous en connaissons d'autres qui effectuent des travaux de force, dont on peut penser qu'ils "écrabouillent" les vertèbres, mais ces personnes ne se plaignent jamais de leur dos, même à un âge avancé.

Cela signifie que l'attitude, le comportement dans l'exercice d'un même métier varient sensiblement d'un individu à l'autre. Certains connaissent les gestes dangereux qu'il faut éviter ; d'autres se laissent guider par un prétendu instinct qui leur fait commettre les pires erreurs !

Du reste, ce constat est valable pour d'autres activités comme les sports traumatisants. Par exemple, de nombreux champions cyclistes continuent à courir sans difficulté après 70 ans, bien qu'ayant participé à des centaines de courses sur les routes les plus diverses. Au contraire, un "amateur", qui a toujours roulé sur des routes bien balisées et entretenues, commencera à se plaindre de son dos, puis abandonnera la pratique du vélo dès la cinquantaine venue. L'observation vaut pour de très nombreux autres sports.

Il n'est évidemment pas possible ici de faire l'inventaire de tous les métiers et professions et d'indiquer dans chaque cas ce qu'il faut faire et ce qu'il faut éviter. Un très gros volume n'y suffirait pas, et d'ailleurs, il n'existe aucune étude systématique sur le sujet. D'un autre côté, il est difficile sinon impossible de surveiller à chaque instant nos gestes et nos attitudes, guetter la moindre réaction de notre colonne vertébrale.

Aussi, nous nous en tiendrons à des généralités, qui se retrouvent souvent dans plusieurs corps de métiers. Il s'agit plutôt, pour tout un chacun, d'acquérir une sorte de réflexe par un apprentissage facile de quelques principes de base - que l'on devrait enseigner dès l'école primaire.

a) Le travail assis et ses principaux dangers pour le dos

Jadis limité à quelques métiers, le travail assis devient de plus en plus répandu dans nos sociétés développées, avec l'explosion du secteur tertiaire et des "services". Certes, on passe un temps très variable - de quelques heures à la totalité de la journée de travail - assis devant un écran ou une pile de dossiers, par exemple.

Les effets à long terme de cette contrainte seront donc très divers aussi. Mais les accidents vertébraux mineurs les plus fréquents sont très souvent identiques, quel que soit le nombre d'heures de travail assis. Par exemple, saisir un téléphone, qui vient de sonner, en tournant brusquement le tronc sur le côté alors que le bas du corps ne bouge pas sur la chaise, peut déclencher un lumbago fulgurant - que l'on vienne juste d'arriver au bureau ou que l'on y soit depuis le début de la matinée.

⇨ – Le "bon réflexe" en la circonstance consisterait d'abord à s'habituer à agir calmement et sans précipitation, ensuite à pivoter sur son siège (si celui-ci est pivotant) ou à poser le téléphone à un endroit accessible sur la table, sans que l'on soit obligé de se contorsionner.

3 principes à retenir

Dans cet ordre d'idées, retenez 3 principes :

● ne jamais faire de mouvement qui entraîne une torsion de la colonne vertébrale ;

● ne jamais faire un mouvement qui oblige à faire une flexion en avant, brusque et violente ;

● ne jamais faire un mouvement qui entraine une flexion latérale (à droite ou à gauche).

Torsion de la colonne, flexions avant et latérale sont des postures qui lèsent la colonne vertébrale, et les lésions surviennent presque toujours aux endroits où les muscles et les vertèbres sont déjà affaiblis ou fragilisés !

Dans la pratique, voici quelques gestes (qui feront penser à beaucoup d'autres similaires) que l'on doit éviter, en application de ces principes :

 – <u>Se baisser en se pliant en deux</u> pour ramasser une feuille de papier tombée par terre : les vertèbres lombaires "bâillent" en arrière, ce qui produit un effet d'étau sur le disque en avant ; ainsi pincé, le noyau du disque a tendance à "fuir" en arrière ; pour peu que le disque soit déjà détérioré, un ou plusieurs fragments peuvent s'en détacher et pénétrer alors dans les fibres de l'anneau.

- Le mieux est donc de s'accroupir pour ramasser la damnée feuille qui, en plus, se glisse très souvent sous le bureau à un endroit difficile d'accès.

- Saisir un objet, par exemple un dictionnaire ou un dossier, rangé sur un rayonnage qui se trouve sur le côté et un peu en arrière du bureau, sans bouger de son siège : on réalise par ce mouvement une torsion du pire effet sur tous les segments de la colonne !

- Si le siège n'est pas pivotant, il n'y a qu'une solution : se lever, prendre le dossier, puis se rasseoir pour l'étudier.

- Prendre une pile de dossiers (ou d'autres objets assez lourds) qui se trouvent devant soi, mais à l'autre bout du bureau : si l'on se contente de se soulever du siège et de se pencher par-dessus le bureau pour les saisir à bout de bras, on a toutes les chances d'écraser un ou plusieurs disques de la région lombaire !

- Au contraire, en faisant le tour du bureau et en se positionnant correctement devant la pile de dossiers avant de les prendre, on ne courra aucun risque. Simple question de bon sens !

Trop longtemps assis

D'une manière générale, les travailleurs assis

restent trop longtemps dans cette position sans bouger de leur siège, lequel est souvent mal adapté. Or, il faut se lever au moins 1 fois toutes les heures, faire quelques pas pour se dégourdir les jambes, et si possible effectuer quelques mouvements d'étirement dorsal.

Toutes les 2 heures, on devrait s'allonger pendant 5 minutes : un coussin sous la nuque, un autre sous les mollets, on fera quelques respirations contrôlées ou mieux encore, une courte séance de relaxation musculaire.

Cette pratique, expérimentée dans divers pays développés par des chefs d'entreprise particulièrement avisés, a montré un gain de productivité étonnant. On a également constaté un gain de productivité non moins important après le simple remplacement d'un vieux mobilier inadapté par du mobilier (bureaux, sièges) ergonomique, qui respecte les données élémentaires de l'anatomie et de la physiologie.

b) Le travail debout

Il passe, à juste raison, pour être particulièrement pénible. Il concerne une population non négligeable (vendeuses de grands magasin, démonstrateurs, métiers de l'hôtellerie et de la restauration, coiffeurs, dentistes, etc.). La pathologie qui y est le plus souvent associée est d'ordre circulatoire (notamment varices des membres inférieurs).

Mais la colonne vertébrale n'est pas épargnée non plus. C'est de fatigue musculaire dorsale que l'on se plaint le plus, du moins pendant les premières années d'activité professionnelle.

Cependant, vers la quarantaine, les problèmes véritablement vertébraux commencent à apparaître : usure prématurée des éléments articulaires, déformations des courbures physiologiques du rachis (avec une nette propension à l'hyperlordose lombaire associée à une hypercyphose dorsale), déviations latérales de la colonne (scoliose d'attitude).

Ces troubles de la statique sont souvent aggravés par d'autres facteurs comportementaux, comparables à ceux du travail assis : travail en torsion, en flexions avant et/ou latérale.

L'exemple caricatural est celui du garçon de café qui porte à longueur de journée des plateaux lourdement chargés, toujours avec le même bras (le droit pour les droitiers, ou le gauche pour les gauchers) : arrivé à la cinquantaine, il a une silhouette typique quand il marche dans la rue : le tronc penché d'un côté, comme si une lourde charge invisible l'y tirait...

Trop longtemps debout

En vérité, il n'y a pas beaucoup de solutions pour prévenir ou améliorer la situation de ces personnels condamnés au travail debout. On peut en indiquer quelques-unes :

– C'est d'abord des périodes de repos (5 à 10 minutes, selon l'intensité des efforts), qu'il faut ménager à intervalles réguliers tout au long de la journée ;

– Dans toute la mesure du possible, on évitera les 3 mouvements nocifs pour la colonne (torsion et flexions en avant et latérale) ;

– Les travailleurs debout doivent, plus que tous les autres, faire des exercices physiques ou même de la gymnastique très régulièrement, pour développer et entretenir une parfaite musculature dorsale et abdominale : c'est le seul moyen de soulager les vertèbres et de limiter la fatigue musculaire du dos (qui se traduit par des "coups de pompe" irrépressibles) ;

– Les figures page suivante (fig. 1, 2, 3 et 4) montrent quelques "trucs" qui permettent de soulager un peu la colonne et les jambes.

c) Le travail en charge et en mouvement

Il correspond, grosso modo, aux métiers dits de force, c'est-à-dire ceux dans lesquels l'activité principale consiste à soulever et/ou à transporter des charges lourdes. C'est à l'évidence l'un des plus éprouvants pour la colonne vertébrale.

Lorsque la charge est relativement modérée (moins de 20 kilos) mais répétitive, le risque est la constitution de micro-traumatismes au fil des années, qui aboutissent à la dégénérescence précose des disques et des articulations vertébrales.

Avec des fardeaux vraiment lourds, on court au-devant d'accidents graves et brutaux : lumbago aigu, sciatique, hernie discale, rupture de ligaments, etc., ce qui n'exclut pas non plus de possibles hernies abdominales, après déchirure du péritoine.

Mais on peut limiter ces dangers en respectant les principes de la mécanique vertébrale. Pour cela, il faut s'inspirer des règles techniques qui régissent la pratique de l'haltérophilie moderne. Vous pourrez en avoir une idée en regardant à la télévision la retransmission d'un concours haltérophilique : examinez bien les attitudes et l'enchaînement des mouvements de ces athlètes, chez lesquels les accidents verté-

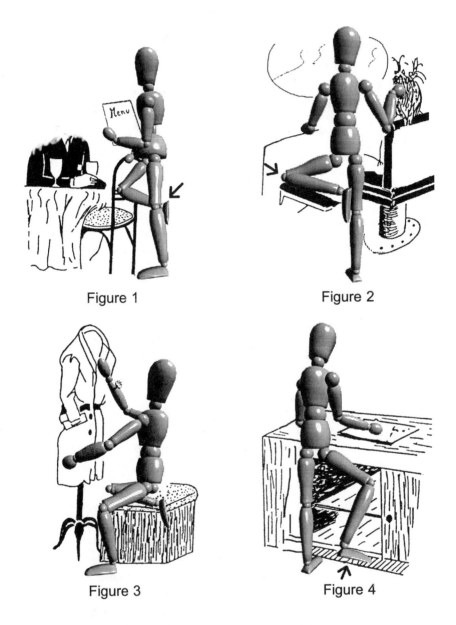

Figure 1   Figure 2

Figure 3   Figure 4

Figures 1 à 4 - Quelques "trucs" pour soulager les membres inférieurs dans le travail debout.

braux sont devenus rarissimes en dépit des énormes poids qu'ils soulèvent. Notez qu'ils portent de larges ceintures de soutien lombaire et abdominal, des genouillères, des chevillères et des bracelets en cuir de protection des poignets. Ce ne sont pas des accessoires superflus !

Le travail de force

Les principes que tout travailleur de force doit toujours avoir présents à l'esprit et qu'ils doit appliquer d'instinct, sont au nombre de 4 :

1 - Il faut que la distance entre la charge à soulever et le corps soit aussi réduite que possible ; donc se positionner toujours le plus près de la charge, avant d'esquisser le moindre geste de levage.

2 - Étant ainsi rapproché de la charge, redresser la colonne lombaire et la maintenir verticale.

3 - Amener le tronc dans l'alignement du plan vertical (c'est-à-dire, ne pas laisser le tronc partir en avant, comme on a tendance à le faire naturellement).

4 - Lorsque l'on a saisi la charge et que l'on commence à se relever, "verrouiller" la colonne en la maintenant aussi verticale que possible (cela consiste à fléchir légèrement les cuisses, à serrer les fesses et à rentrer le ventre) ; tirer sur les muscles des cuisses pour se mettre debout.

⇨   – Ces principes sont valables pour tous les gestes comportant le levage ou le portage d'une charge, que ce soit dans le cadre professionnel ou dans le cadre domestique (à la maison ou à la campagne pour des activités de loi-

Figure 5 - Soulever un fardeau.

Figure 6 - Reposer un fardeau.

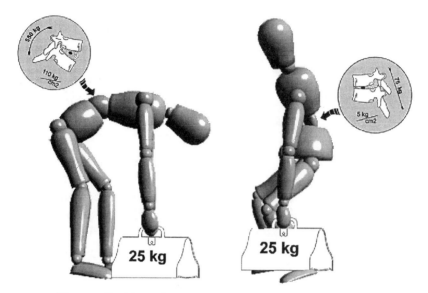

Figure 7 - Pressions sur un disque en porte-à-faux
et position correcte.

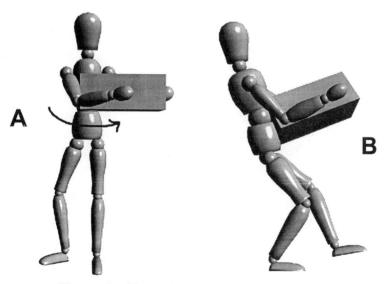

Figure 8 - Mauvaise (A) et bonne (B) manières
de déplacer un fardeau.

sirs, tel que le jardinage ou le bricolage ; dans ces cas, le port d'une ceinture abdominale de soutien est recommandé, surtout si l'on mène habituellement une vie sédentaire).

– Les schémas pages 246 et 247 (fig. 5, 6, 7 et 8) vous montrent comment on doit agir pour éviter tout accident.

Observation importante : si vous ressentez une violente douleur lors du soulèvement ou du portage d'un fardeau lourd, la consultation médicale d'urgence est indispensable - et cela, quelle que soit la localisation de la douleur (dos, abdomen, poitrine, cuisses, etc.).

4 - La voiture et le dos

Avant d'en venir à cette "chère" (dans les 2 sens du mot) automobile, disons 2 mots des autres moyens de transport modernes :

Les autres moyens de transport

– Le bus n'est généralement emprunté que pour de courts trajets (moins d'1 heure) ; ses inconvénients (secousses, incorfort dû à l'entassement des voyageurs) sont mineurs et bien tolérés (sauf pour les vrais malades chroniques de la colonne vertébrale).

En revanche, les longs voyages en car collectif sont éprouvants pour les dos sensibles, surtout lorsque l'on a affaire à un conducteur désireux d'en finir le plus vite avec sa "corvée", et limite les arrêts au strict minimum.

– Le métro est le plus commode des moyens de transport en ville, en dépit des secousses et de l'entassement ; on peut en dire de même pour le tramway, là où il en existe.

– Le train, en particulier le TGV, est sans doute le plus respectueux du dos de l'usager, surtout pour des voyages de longue distance.

Il est recommandé aux lombalgiques de se lever pour se dégourdir les jambes et étirer le dos au moins toutes les heures. On peut traverser plusieurs compartiments, comme on ferait une petite promenade autour du pâté de maisons en bas de chez soi.

Par contre, voyager de nuit en train est une entreprise risquée pour tous ceux qui souffrent de dorsalgies de toute origine : gare aux courbatures tenaces qui vous tenailleront dès le réveil ! Même les cabines individuelles de luxe n'empêchent pas le roulis et le tangage qui agissent comme un mauvais massage sur la colonne, vous oblige à vous cramponner pour ne pas tomber...

– Très pratique, l'avion est idéal pour des trajets qui ne durent pas plus de 2 ou 3 heures. Au-delà, cela pose de sérieux problèmes aux voyageurs souffrant du dos : impossibilité de s'étendre, impossibilité de vraiment marcher quelques instants, et tant d'autres contraintes qui forcent à une quasi immobilité. Mais les circonstances de la vie font que l'on n'a pas d'autre choix parfois. Alors, il faut prendre son mal en patience... et s'armer d'une bonne provision d'antalgiques appropriés (sur prescription médicale seulement).

– Les croisières en paquebot sont tout à fait recommandées aux dorsalgiques, d'autant que la plupart de ces "villes flottantes" sont pourvues du meilleur confort et d'installations de loisirs (notamment piscines chauffées).

En revanche, la croisière côtière à bord de petits bateaux familiaux peut se révéler désastreuse pour la colonne vertébrale. Au tangage, au roulis, à la gîte (pour les monocoques) s'ajoute la faible hauteur sous barrots de la cabine, qui oblige à se tenir courbé ou assis sur des sièges instables et durs.

La pratique de la voile peut convenir aux jeunes gens en parfaite santé, ne souffrant d'aucun mal de dos. Mais pour les personnes plus âgées et sédentaires, l'aventure a de fortes chances de se terminer dans une douloureuse désillusion.

Venons-en maintenant à la voiture

Du point de vue qui nous intéresse ici, c'est sans doute l'un des pires ennemis du dos. Mais nous devons tout de suite nuancer le propos. Il y a "voiture" et "voiture". Les engins "haut de gamme" présentent un confort, des aménagements qui respectent globalement la physiologie du rachis. Seul inconvénient : ils coûtent extrêmement cher, ce qui les rend accessibles à une infime minorité de nantis.

Pour la très grande majorité de la population, il faut se contenter de véhicules moyens ou bas de gamme qui offrent, certes, des performances de plus en plus intéressantes à tous points de vue, mais dont la conception - toutes marques confondues - laisse presque toujours de côté des aspects jugés secondaires, mais essentiels pour la bonne santé du dos, tels que :

● un volant réglable

● des sièges anatomiques avec dossiers et appui-tête réglables et personnalisés, etc.

Que voulez-vous, la sécurité des vertèbres, des disques, des ligaments, des muscles profonds vertébraux, a un prix que monsieur-tout-le-monde ne peut pas payer ! De plus, cet argument de sécurité vertébrale n'est pas un argument de vente pour le plus grand nombre des acheteurs potentiels...

Alors, il faut faire avec ce que l'on a. À défaut de pouvoir changer les qualités des voitures de modèle standard, on peut améliorer les qualités du conducteur pour limiter les risques pour la colonne (dans la conduite normale, en dehors des accidents graves qui relèvent d'une autre logique).

Nous supposons que le conducteur auquel nous nous adressons est respectueux du code de la route et des règles élémentaires de conduite (pour ne pas avoir à les rappeler ici). Les passagers du véhicule s'arrangeront comme ils pourront pour leur confort.

Comme la sécurité de tous dépend du pilote, c'est à lui que nous nous intéressons : s'il a des ennuis, des douleurs au dos, si sa colonne lombaire est en capilotade, les conséquences peuvent être dramatiques pour tous ; tandis que si un passager souffre brusquement d'une vive lombalgie pendant le trajet, ce sera bien triste pour lui, mais sans conséquence pour autrui.

Quelques règles à observer

Voici donc quelques règles à observer pour effectuer un long trajet en voiture, tout en préservant au maximum sa colonne vertébrale :

– Ne prenez jamais le volant après une courte nuit de sommeil : non seulement vos réflexes seraient engourdis, mais les muscles vertébraux insuffisamment reposés fatigueraient au bout d'1 heure ou 2, rendant la conduite doublement dangereuse.

– Souvenez-vous toujours de ce principe : mieux vaut perdre quelques heures ou même une journée de vacances, plutôt que de risquer de perdre la vie pour de bon ; arriver à bon port, quelle que soit l'heure, voilà l'objectif essentiel !

– On doit régler, à tête reposée, quelques jours avant la date du départ, le siège, l'appui-tête, le volant (lorsque cette option existe sur le véhicule), ainsi que les rétroviseurs intérieur et extérieurs, en recherchant le confort maximum pour la colonne vertébrale et le bassin.

N'oubliez pas que les yeux doivent être à la bonne hauteur, sinon la colonne cervicale en souffrira. De même, les jambes (pas trop étendues) doivent être exactement à la distance optimale des pédales de freins, d'accélérateur et d'embrayage : faute de quoi, on sera obligé de se tortiller soit pour les atteindre, soit pour s'en éloigner un peu, ce qui aboutit dans les deux cas à une fatigue inutile de la région lombaire.

– Faites contrôler les amortisseurs (ce sont de véritables coussins pour la charpente osseuse sur la route) et les pneus, et changez-les si besoin.

— <u>Il faut s'arrêter toutes les 2 heures ou tous les 200 kilomètres</u> ; pendant ces arrêts d'une vingtaine de minutes au moins, on sortira de la voiture pour faire quelques pas dans la nature ; on en profitera pour faire quelques mouvements d'assouplissement et d'étirement du dos et des membres.

▲ — <u>Parmi les gestes néfastes</u> à la colonne que l'on commet souvent sans y penser, on notera surtout :

- déposer ou retirer une valise ou un colis lourd dans le coffre dans une mauvaise position (voir fig. 9 et 9 bis, pages 254 et 255) ;

- se retourner lorsque l'on fait une marche arrière ;

- se retourner pour regarder un passager assis à l'arrière avec qui on discute : bien des bavards au volant se retrouvent avec un torticolis à l'arrivée ;

- laisser une vitre entrouverte alors que l'on souffre d'une cervicalgie ;

- poser une sacoche lourde sur la banquette arrière pour les professionnels (représensants, visiteurs médicaux, médecins, etc.) qui doivent s'arrêter fréquemment : chaque fois qu'ils devront la reprendre, ils ne manqueront de se faire une torsion du tronc très risquée. Posez donc la sacoche sur le plancher de la place du passager avant ;

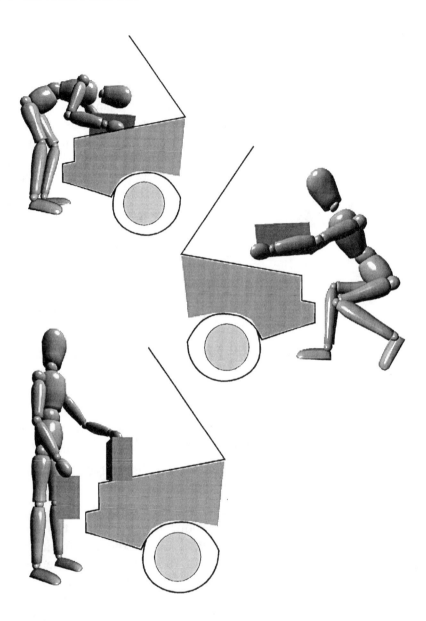

Figure 9 - Déposer un objet lourd dans le coffre de la voiture

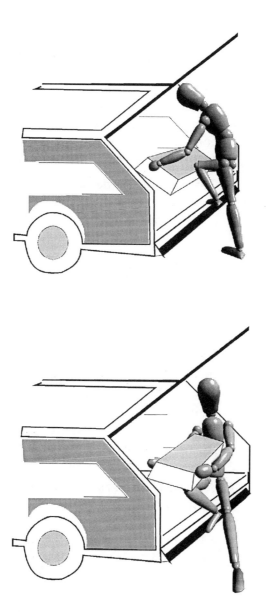

Figure 9 bis - Retirer un objet du coffre de la voiture.

⇨ – Si le siège du conducteur est trop mou ou creux, placez une planchette aux bonnes dimensions sur laquelle vous fixerez solidement un coussin mince, en mousse légère. N'oubliez pas de corriger tous les réglages (volant, siège, appui-tête, rétroviseurs, etc.) en fonction de cette nouvelle hauteur : la sécurité peut se jouer à quelques centimètres.

Quant à la natte de billes que certains posent sur le dossier du siège pour soi-disant soulager le dos, son efficacité n'a jamais été démontrée : c'est plutôt un phénomène de mode !

– La tenue vestimentaire peut avoir une importance sur la sécurité de la conduite : prévoir des vêtements ni serrés ni trop amples ; choisir la paire de chaussures la plus confortable habituellement ; exclure absolument les chaussures à talons hauts.

– Si vous devez conduire en portant un collier cervical du genre minerve, sachez qu'il faut demander préalablement l'accord de votre assureur ; en cas d'accident, celui-ci peut refuser la prise en charge du sinistre.

Faites quelques mouvements dans votre voiture, à l'arrêt

Au cours d'un trajet un peu long en cycle urbain, il est possible et même tout à fait conseillé d'effectuer, sans sortir de la voiture, quelques mouvements pour décontracturer les muscles du dos, des jambes et des bras, lors des arrêts ou des feux rouges (pour les voyages sur routes ou autoroutes, on mettra à profit les arrêts assez longs pour faire des exercices classiques d'assouplissement et de relaxation musculaire) :

1 - Étirer les muscles du dos (voir fig. 10, page 258). Ce mouvement s'effectue de la manière suivante :

- Les mains posées des 2 côtés du volant, le dos bien calé contre le dossier, poussez simultanément sur le volant comme pour l'enfoncer devant vous, et contre le dossier comme pour le faire reculer avec les épaules ; relâchez l'effort après 3 secondes, puis recommencez 3 ou 4 fois.

2 - Étirer les muscles lombaires et des bras (voir fig. 11, page 258) :

- Le dos bien droit plaqué contre le dossier, fléchir les coudes sur l'appui-tête et rentrer le ventre. Puis, tirer sur les coudes vers le haut, les mains accrochées en croisement sur les côtés de l'appui-tête (la main droite sur le côté gauche, la main gauche sur le côté droit), en gardant le dos bien plaqué sur le dossier ; le mouvement doit tirer tout le tronc vers le haut comme si on voulait grandir, allonger la longueur de la colonne vertébrale.

3 - Étirer les muscles postérieurs des cuisses (voir fig. 12, page 259) :

- Fléchir la jambe gauche et tendre la droite, le dos étant bien plaqué contre le dossier. Ensuite, faire simultanément les mouvements suivants : tirer vers soi la pointe du pied droit, pousser le plus possible en avant le talon droit, puis incliner le tronc en avant tout en reculant les fesses comme

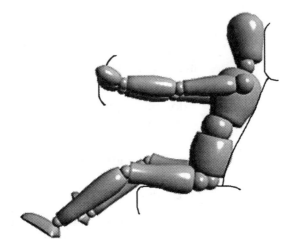

Figure 10

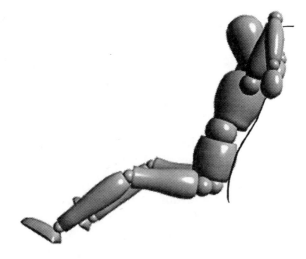

Figure 11

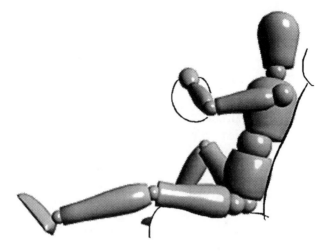

Figure 12

pour repousser le bas du dossier du siège.
Faire la même chose avec la jambe gauche,
la droite fléchie.

5 - Les loisirs et le dos

Le week-end est un moment de détente très
propice... aux accidents vertébraux ! Après une
semaine de dur labeur, chacun veut, légitimement, se défouler un peu. Alors, on se lance
dans des travaux de bricolage ou de jardinage,
avec autant d'enthousiasme que d'imprudence.

Les muscles du sédentaire sont restés presque
inactifs toute la semaine et soudain, on les solli-

cite pour d'intenses efforts : le résultat est prévisible, malheureusement. Bien entendu, notre propos n'est pas de vous gâcher votre plaisir, mais plus prosaïquement de vous rappeler quelques précautions élémentaires qui vous éviteront bien des déconvenues.

Les recommandations figurant aux rubriques précédentes, notamment celles qui concernent les travaux domestiques et ménagers ou le travail en mouvement et en charge, sont valables pour les activités de loisirs.

Voici quelques conseils supplémentaires

 – <u>En week-end, ne vous lancez pas dans des travaux de force</u>, comme la maçonnerie ou le piochage du jardin : vous n'y êtes pas préparé, et le jeu n'en vaut pas la chandelle.

À la rigueur, ce genre d'activité peut être envisagé pendant les grandes vacances, et encore, après une bonne semaine de réadaptation progressive à l'effort physique intense.

– L'une des occupations traditionnelles est <u>l'entretien du jardin</u>. Si vous devez ramasser les feuilles mortes, par exemple, et les transporter en brouette à l'autre bout du jardin, rappelez-vous qu'il est très néfaste pour la colonne vertébrale de saisir les bras de l'engin en vous courbant, jambes tendues. Il faut fléchir les genoux et se relever doucement, en faisant travailler surtout les muscles des cuisses et des mollets.

 Quand on roule une brouette, maintenir la colonne aussi verticalement que possible. Agir autrement conduit au fameux "tour de reins"

si douloureux, en particulier quand on bute sur un obstacle (grosse pierre, monticule de terre...).

– Toujours au jardin, ramasser les fruits tombés, enlever les mauvaises herbes, planter ou repiquer des plantes, sont autant d'occasions de martyriser son dos. Dans toutes ces situations et leurs similaires, il faut ou s'agenouiller ou s'accroupir de manière à éviter les flexions et les torsions de la colonne.

– Les petits travaux de bricolage, comme un raccord de peinture, le remplacement d'une vitre, la taille d'une haie, etc., doivent toujours se faire avec le matériel approprié et surtout en prenant tout son temps. Exclure tout travail comportant le soulèvement ou le transport de lourdes charges.

6 - Les sports et le dos

L'activité sportive est indispensable non seulement pour entretenir un bon état général de l'organisme, mais plus spécifiquement pour assurer solidité et souplesse à la colonne vertébrale. Une musculature saine et harmonieusement développée est l'un des facteurs essentiels de sauvegarde du rachis.

Seulement, voilà : l'activité sportive peut aussi devenir le pire ennemi de la colonne vertébrale, si l'on ne respecte pas certaines règles précises.

Le sport amateur

En premier lieu, soulignons que la pratique des sports que nous envisageons ici est celle qui s'adresse au commun des mortels. Le sport de haut niveau concerne une infime minorité d'individus exceptionnellement doués ou pourvus par la nature : sur quelque 5 milliards d'hommes que compte l'humanité, à peine quelques milliers accèdent à la haute compétition - et encore, ces grands athlètes bénéficient-ils d'un encadrement technique, médical, psychologique, financier hyper-spécialisé.

Soyons donc bien clair : nous nous adressons aux amateurs qui pratiquent le sport comme un loisir et un moyen de garder la forme. Les autres, ceux qui s'entraînent dans un but compétitif, n'ont pas besoin de nos conseils : ils ont leurs propres entraîneurs, généralement compétents et qualifiés.

On ne peut pas pratiquer n'importe quel sport, à n'importe quel âge et quel que soit notre état de santé. Le même sport, par exemple la natation qui est pourtant unanimement recommandée par les médecins, peut être très bénéfique pour un individu, et néfaste pour un autre du même âge.

Autrement dit, les facteurs individuels ont une importance cruciale dans le choix et l'intensité de la pratique d'un sport donné.

- Ceci est valable même <u>pour les enfants et les adolescents</u> : médecins scolaires et professeurs d'éducation physique se concertent régulièrement pour prévenir tout accident.

- <u>Pour le jeune adulte,</u> jusqu'à 30-35 ans, l'entraînement régulier, dans le cadre d'un club avec un encadrement compétent, est encouragé, surtout s'il s'agit du même sport qu'il pratique depuis l'école, le collège, le lycée et l'université ; on doit être plus prudent si l'on change d'activité sportive.

– Pour l'adulte actif, jusqu'à 55 ans, 2 possibilités :

1) Soit on n'a pas arrêté de faire du sport depuis l'adolescence, et alors on peut poursuivre en modérant sensiblement le rythme et les efforts ; après 45 ans, un bilan cardio-vasculaire est souhaitable, et même impératif au-delà de 50 ans ;

2) Soit on a arrêté toute activité sportive pendant des années : dans ce cas, un bilan médical général, y compris cardio-vasculaire, est indispensable avant toute reprise d'un entraînement ; de plus, les sports exigeant une intense dépense physique sont très déconseillés.

– Enfin, pour les personnes âgées de plus de 60 ans, il est nécessaire, dans tous les cas même et surtout si l'on a été un grand sportif dans sa jeunesse, de demander un avis médical.

Les sports les plus courants

Examinons maintenant les disciplines sportives les plus couramment pratiquées et leur incidence sur l'état de la colonne vertébrale :

– La marche à pied est, de tous les sports, la meilleure activité pour entretenir l'ensemble de la musculature, car à chaque pas un nombre incroyable de muscles sont sollicités. De plus, elle est recommandée même au-delà de 70 ans.

– 2 précautions élémentaires, cependant :

● On doit marcher à son rythme propre (sans

essoufflement ni cœur qui bat la cha-
made) ; on modulera la durée de la marche
(commencer par exemple, par une marche
d'1 heure, puis 1 heure 1/2, 2 heures, etc.).

● Ne jamais oublier de prévoir une petite réserve d'eau, particulièrement par beau
temps pour éviter une brutale déshydrata-
tion.

– La randonnée, avec un sac à dos léger, est
également recommandée, à condition d'avoir
un entraînement progressif préalable, et de
prévoir des étapes raisonnablement calculées
(arrêt toutes les heures 1/2 ou 2 heures) ; les
provisions (eau et nourriture légère) sont indispensables.

– Le jogging est un bon sport pour toutes les
personnes qui n'ont aucun problème lombaire ! Chaque foulée produit un mini-
traumatisme au niveau des articulations et des
disques, de quoi malmener une colonne déjà
sensible ou fragile.

Toutefois, on peut le pratiquer, lorsque l'on
ne souffre que très épisodiquement des lombaires sans lésion radiographique, aux conditions suivantes :

● commencer d'abord, dans un premier
temps, par renforcer les abdominaux par
des exercices de gymnastique appropriés ;

● se procurer de très bonnes chaussures à se-
melles absorbant les chocs, du genre
sorbothane ;

● éviter de courir sur des surfaces très dures
(ciment, bithume) ;

- planifier son entraînement de manière très progressive (1/2 heure, 3/4 d'heure, 1 heure, 1 heure 1/2...).

- La natation est l'un des meilleurs sports qui soient, surtout lorsqu'on la pratique dès l'enfance : ce qui est non seulement possible mais vivement recommandé à titre préventif des risques vertébraux, le flottement dans l'eau éliminant presque tous les effets néfastes de la pesanteur sur les vertèbres.

Pour l'adulte, quelques précautions, toutefois, si l'on a une colonne sensible ou fragilisée :

- éviter de nager dans une eau trop froide (au contraire, une eau assez chaude permet aux muscles de travailler en décontraction) ;

- éviter la brasse et le crawl qui creusent les reins ou obligent la colonne cervicale à de brusques redressements pour respirer ;

- les 2 meilleures techniques sont la nage sur le dos "paresseuse" (on se laisse flotter sur l'eau qui tient lieu de matelas hydraulique !) et la nage dite indienne (sur le côté - à condition de choisir le côté non douloureux pour les dorsalgiques).

Remarque : la natation sollicite peu les muscles abdominaux ; il faut donc prévoir des exercices appropriés pour entretenir ceux-ci.

- Le vélo est excellent pour muscler les jambes et les cuisses, entretenir les articulations des membres inférieurs ; de ce point de vue, il contribue au bon équilibrage de la colonne vertébrale.

Toutefois, il est recommandé de choisir un

guidon droit : le guidon de course avec freins en dessous oblige à arrondir le dos, position délicate pour tous les dorsalgiques.

Le vélo d'appartement est un gadget dont l'utilité n'est pas démontrée.

- Le football ne comporte pas de gros risques lorsqu'il est pratiqué à l'école ou au lycée ; mais les enfants et les adolescents sensibles de la colonne vertébrale peuvent s'exposer à des accidents (chutes, collision avec un autre joueur). À conseiller modérément.

Tout le monde a entendu parler des accidents, parfois graves, dont sont victimes les joueurs professionnels : problèmes des ménisques, tendinites, contractures, etc.. Ce tableau résume, de manière très grossie, les dangers de ce sport si populaire.

- Le rugby, très prisé dans certaines régions, est un sport violent, comportant des risques sérieux pour la colonne vertébrale, en particulier pour les cervicales. Réservé aux "grands costauds", dont l'imposante musculature ne forme pas toujours une armarture suffisante pour encaisser tous les coups !

- Le ski alpin peut avoir une influence très favorable sur la colonne vertébrale lorsqu'il est pratiqué tranquillement, après un bon apprentissage. La musculation des cuisses et la souplesse des jambes sont des conditions nécessaires à cette pratique sereine.

Quant aux casse-cou, tôt ou tard ils encombreront les cabinets des rhumatologues et autres spécialistes de la chirurgie traumatique...

- Le ski de fond présente les avantages de la

marche à pied, de la randonnée et du ski alpin sur une petite échelle : recommandé, sous réserve d'un accompagnement compétent pour les débutants.

– Le tennis a une incidence mineure sur la colonne vertébrale, dans des conditions de pratique modérée. Cependant, à la longue, le bras de service finit par présenter une usure au coude (le fameux tennis-elbow), puis à l'épaule. À conseiller pour les sujets calmes et réfléchis.

– Les sports martiaux et de combat (judo, karaté, boxe, etc.) sont des sports violents qui n'épargnent jamais la colonne vertébrale dans tous ses segments. Déconseillés pour tous ceux qui présentent une fragilité vertébrale, quelle qu'en soit la cause.

– L'équitation est devenue un sport à la mode. Grand pourvoyeur de lombalgies (surtout dans le trot), il peut, néanmoins, se révéler très intéressant pour l'amateur parfaitement entraîné techniquement. On a même souvent vu des lombalgiques qui ne se trouvaient bien, soulagés, qu'à cheval...

– Le golf, autre sport à la mode, est basé sur une position totalement contraire à la mécanique vertébrale : la rotation en torsion du tronc pour réaliser un swing. On nous dit que d'aucuns lombalgiques récidivants ne connaîtraient pas de meilleur remède pour soulager leurs douleurs ! Auto-suggestion ?

Les sports déconseillés

Parmi les sports que l'on déconseille à tous ceux qui présentent des risques vertébraux plus ou moins importants, citons :

- le ski nautique, la voile de compétition, la gymnastique rythmique, l'aviron, le canoë et le canoë-kayak, l'haltérophilie, le body-buling (ou gonflette musculaire), l'escrime, et surtout cette espèce de danse-gymnastique popularisée par Mme Jane Fonda... qui a recruté à elle seule des milliers de femmes de plus de 40 ans, pour le plus grand bénéfice des kinésithérapeutes et autres chiropracteurs...

En résumé

En résumé, presque tous les sports sont bons à pratiquer à condition :

1) que l'on ait une colonne vertébrale en bon état ;

2) que l'on pratique son activité préférée avec modération ;

3) que l'on commence le sport très jeune et que l'on continue, aussi longtemps et régulièrement que le médecin ne l'interdit pas.

C

*Programme personnalisé
d'entretien et de prévention*

Vous savez maintenant quels sont les risques que court votre dos en fonction de votre âge et de votre sexe. Nous vous avons également indiqué les pièges qui guettent vos vertèbres quotidiennement dans vos différentes activités, et comment éviter ou déjouer ces pièges.

Mais ce n'est pas encore suffisant pour garder très longtemps un dos en bon état fonctionnel et pour prévenir les affections qui peuvent le menacer. Il faut apprendre à entretenir la musculature et les articulations qui assurent le maintien de la station érigée et protègent la colonne vertébrale.

Dans ce chapitre, nous allons d'abord vous apprendre à mieux vous connaître vous-même, afin de maîtriser vos éventuels points faibles vertébraux. Ensuite, vous saurez effectuer des exercices simples, vraiment à la portée de tous, mais néanmoins efficaces pour vous maintenir en bonne forme ou pour combattre certains maux de dos.

L'expérience, confirmée par des centaines de rhumatologues et autres spécialistes de la pathologie du dos, a montré que le sujet qui accepte de sacrifier quelques minutes seulement, mais tous les jours, à faire ces exercices, se met durablement à l'abri de toute mauvaise surprise vertébrale. Même à des âges au-delà de 70 ans, sa colonne vertébrale, quoique naturellement vieillie, reste parfaitement saine ; aucun mouvement ou geste de la vie quotidienne ne lui pose de problème, ni ne déclenche de douleur. Bien des jeunes de moins de 30 ans pourraient l'envier !

Cela vaut donc véritablement la peine de consacrer à sa propre santé quelques instants chaque jour. C'est vrai qu'au début, vous éprouverez quelque difficulté à vous soumettre à cette petite auto-discipline. Mais avec un peu de persévérance, on arrive à en faire une habitude salutaire et même agréable. Vous ne perdrez rien à essayer, bien au contraire.

1 - Apprenez à mieux vous connaître : l'auto-bilan vertébro-musculaire

Nous sommes tous différents, c'est l'évidence même. Aussi convient-il de se connaître, et cela est beaucoup moins évident, surtout en ce qui concerne le dos. Il y a tellement de facteurs qui interviennent et dont l'action varie considérablement d'un individu à l'autre !

À qui s'adresse ce chapitre ? À tout sujet qui ne présente pas de pathologie "lourde" ou de malformation en rapport direct avec la colonne vertébrale.

Toute personne qui souffre du dos de manière répétitive doit consulter un médecin - nous insistons fortement sur ce point. Seul un homme de l'art peut diagnostiquer une affection précise, et prescrire le traitement approprié.

En revanche, si vous n'avez jamais eu besoin de voir un médecin pour votre dos, ou si vous n'avez eu qu'un incident vertébral passager qui a disparu spontanément, ceci vous concerne. Le but recherché est à la fois de prévenir de possibles accidents ou maladies vertébrales, en entretenant convenablement le système vertébral dans son ensemble, et de soulager ou de guérir les maux de dos courants.

a) Quel est votre type morphologique ?

On appelle type morphologique ou "morphotype" la silhouette typique qui se dégage d'un individu, comme par exemple être grand et maigre, ou trappu et fort.

À vrai dire, les morphotypes purs se rencontrent rarement. Nous appartenons, dans notre immense majorité, à des morphotypes mixtes, c'est-à-dire que nous présentons des caractères de 2, voire de 3 morphotypes purs.

Mais il y a toujours une prédominance de caractères propres à un morphotype donné : nous pouvons être par exemple, grand, fort et souple, ou trappu, maigre et rigide. Cependant, cette classification a une certaine importance pratique. En effet, selon le type morphologique prédominant chez un individu, tel ou tel segment de sa colonne vertébrale sera plus exposé à certains risques ou affections et moins à d'autres. D'où l'intérêt de savoir son morphotype pour mieux protéger les zones les plus exposées.

On distingue 4 types morphologiques fondamentaux :

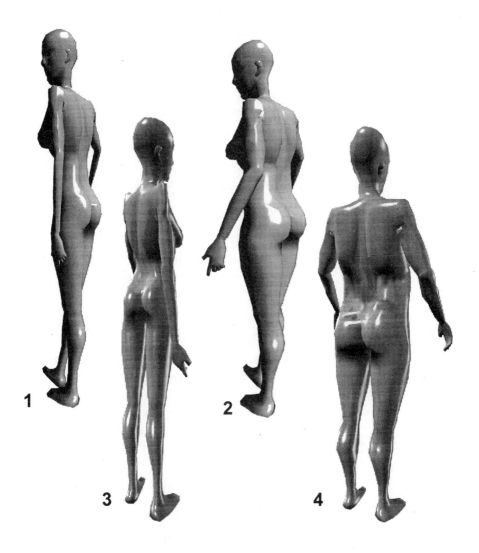

Figure 1 - Colonne onduleuse, silhouette svelte.
Figure 2 - Colonne onduleuse, silhouette massive.
Figure 3 - Colonne raide, siilhouette svelte.
Figure 4 - Colonne raide, silhouette massive.

1) <u>Le type à colonne onduleuse et silhouette svelte</u> (voir fig. 1, page 273).

Il présente les caractères suivants :

- une tête fine et "flottante", un cou long et gracile, l'apophyse épineuse de C7 saillante, les omoplates assez saillantes, une grande cambrure de la taille depuis les omoplates jusqu'aux fesses, l'articulation lombo-sacrée très basculée avec une impression de fragilité de la taille.

Chez ce type morphologique, les segments vertébraux les plus sensibles sont la colonne cervicale (tendance à l'hyperlordose) et la charnière dorso-lombaire (risque d'usure prématuré des cartilages articulaires) ;

2) <u>Le type à colonne onduleuse et silhouette massive</u> (plus ou moins marquée) (voir fig. 2, page 273) :

- tête épaisse et en avant, cou assez lourd et tassé, charnière cervico-dorsale nettement marquée (impression d'une bosse de bison naissante, même chez un sujet sain), dos tout en rondeur, charnière dorso-lombaire (taille) nettement dessinée, bassin large et peu mobile.

Les zones de fragilité sont la charnière cervico-dorsale (tendance à l'hypercyphose) et la charnière lombo-sacrée (fréquents tours de reins et autres lombalgies d'attitude) ;

3) <u>Le type à colonne raide et silhouette svelte</u> (voir fig. 3, page 273) :

- port de tête haut avec un regard horizontal, cou "droit" (la lordose physiologique est peu marquée), charnière cervico-dorsale à peine perceptible (la cyphose physiologique est plutôt effacée), les omoplates se touchent presque, charnière dorso-lombaire figée (taille peu marquée), charnière lombo-sacrée raide (la lordose physiologique est très atténuée).

Tous les segments vertébraux sont sensibles aux dérangements liés aux mauvaises postures chez ce type morphologique.

4) Le type à colonne raide et silhouette massive (voir fig. 4, page 273) :

- tête relativement massive, cou large, court et d'une médiocre mobilité, charnière cervico-dorsale épaisse, faisant apparaître le dos plat et large, charnière dorso-lombaire en retrait (taille bien marquée avec des hanches fortes), charnière lombo-sacrée présentant un aspect "soudé" avec une mauvaise mobilité.

Chez ce type morphologique, les points les plus faibles sont la charnière cervico-dorsale (avec tendance à l'arthrose de C7-D1) et la charnière lombo-sacrée (perte progressive de la lordose physiologique en l'absence d'exercices réguliers d'assouplissement et d'étirement des muscles de cette région).

Après avoir regardé les figures page 273 et lu attentivement les détails morphologiques qui s'y rapportent (ci-dessus), déterminez le "portrait" auquel vous correspondez ou ressemblez le plus.

Notez bien les zones ou segments les plus fragiles de votre colonne : établissez un programme personnel d'exercices en choisissant parmi ceux qui vous sont décrits plus loin, les mieux appropriés à votre cas.

b) Déterminez votre terrain vertébral

La notion de "terrain physiologique" joue un rôle important dans différentes approches médicales (homéopathie, cancérologie, etc.). L'idée de base est qu'il existe des prédispositions particulières des organismes vis-à-vis de certaines pathologies. En d'autres termes, on court plus de risques d'attraper telle maladie lorsque notre organisme présente certaines caractéristiques (anatomiques, physiologiques, constitutives, etc.).

Dans le cas de la colonne vertébrale, c'est surtout la tonicité musculaire générale qui paraît être le facteur déterminant dans l'apparition des troubles de la statique. On distingue 3 types de terrains :

1) Le terrain vertébral chez le sujet équilibré (voir fig. 5, page 278) présente un alignement parfait de la ligne d'équilibre du corps par rapport à son plan médian vertical.

   Les risques de troubles vertébraux sont minimes, jusqu'à un âge avancé, en dehors des accidents bien entendu, et sous réserve d'un entretien régulier de la musculature et des articulations.

2) Le terrain vertébral chez le sujet hypertonique jeune (20-40 ans) (voir fig. 6, page 278) présente un décalage en avant plus ou moins accentué de la ligne d'équilibre du corps par rapport à son plan médian vertical. Ce décalage est dû à une trop forte tension quasi permanente des muscles dorsaux, abdominaux, pectoraux et des membres inférieurs ;

le sujet est alors prédisposé aux contractures musculaires générales (dorsalgies fréquentes), à des douleurs dans la région lombaire, à de possibles irritations articulaires au niveau des genoux et de l'avant des pieds.

À un âge plus tardif (40-60 ans), l'hypertonique voit le décalage de sa ligne d'équilibre s'accentuer vers l'avant (voir fig. 7, page 278) : il se tient penché en avant. Les risques vertébraux sont nombreux et divers, mais particulièrement : hyperlordose cervicale, arthrose cervicale, tassement des disques dans la région lombo-sacrée, rectitude lombaire...

– Jeune ou plus âgé, le sujet hypertonique peut combattre ses mauvaises prédispositions par des exercices réguliers d'assouplissement musculaire et de relaxation (quelle que soit la méthode choisie, yoga, training autogène, etc.). La pratique d'un sport "calme" est particulièrement indiquée.

3) Le terrain vertébral chez le sujet hypotonique jeune (20-40 ans) présente un décalage vers l'arrière de sa ligne d'équilibre par rapport à l'axe médian vertical (voir fig. 8, page 278). Il se tient dans une posture caractéristique, le corps plus ou moins affaissé sur lui-même et déporté en avant, les épaules "enroulées". Cette posture est dûe à une insuffisance de la musculature dorsale, abdominale et des membres inférieurs (surtout des cuisses).

– On peut facilement y remédier par des exercices appropriés, de préférence sous le contrôle d'un moniteur qualifié dans un

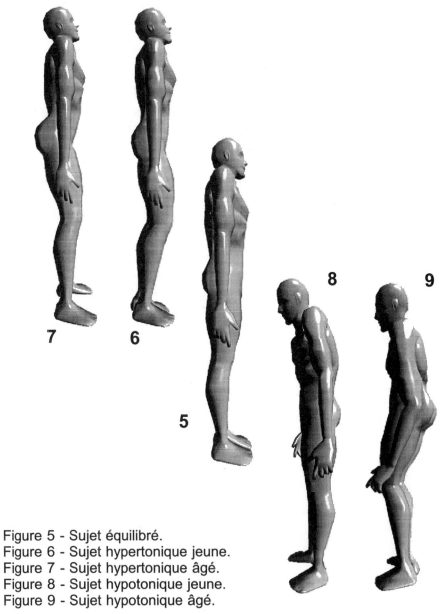

Figure 5 - Sujet équilibré.
Figure 6 - Sujet hypertonique jeune.
Figure 7 - Sujet hypertonique âgé.
Figure 8 - Sujet hypotonique jeune.
Figure 9 - Sujet hypotonique âgé.

premier temps, puis chez soi régulièrement, pour l'entretien.

Les risques vertébraux sont l'hypercyphose
dorsale prématurée, le plus souvent associée
à une hyperlordose lombaire, avec de fréquentes poussées de lombalgie et de
cervicalgie douloureuses.

À un âge plus avancé (au-delà de la quarantaine), et en l'absence de toute rééducation
musculaire, les caractères et troubles précé-
dents ne feront que s'aggraver et s'accentuer
(voir fig. 9, page 278) : affaissement général
de la silhouette avec ptôse abdominale typique ; bosse de bison ; hyperlordose lombaire,
arthrose cervicale, dorsale et lombaire, lésions arthrosiques des genoux.

Ce tableau, pas vraiment enthousiasmant on
en conviendra, doit inciter tous les hypotoni-
ques à réagir le plus précocement possible et
à ne jamais relâcher l'effort et l'auto-discipline rééducative.

**c) Tester votre
état vertébral et
musculaire**

Connaître son type morphologique et son terrain vertébral, c'est très bien : vous avez commencé à débrouiller le problème avant de vous
construire votre programme personnel de prévention, d'entretien et de soin, le mieux adapté à
votre situation.

Mais vous pouvez affiner encore cette démar-
che en établissant vous-même votre auto-bilan
vertébral et musculaire. Il s'agit, en quelque
sorte, de faire le point qualitativement sur l'état
réel de votre colonne vertébrale et des éléments
musculaires qui la soutiennent. Cela consiste à
effectuer quelques tests très simples, que nous

allons vous décrire en détail ci-après. Mais, attention :

Remarque très importante

Vous allez devoir faire plusieurs mouvements ne comportant normalement aucun danger. Cependant, vous pouvez souffrir d'une affection vertébrale "silencieuse", qui ne s'est jamais manifestée par des douleurs, un trouble ou une gêne, dont l'apparition vous eût nécessairement amené à consulter un médecin, lequel l'eût alors découverte.

Les maladies parfaitement "muettes" existent, il faut en tenir compte. Par conséquent, si, en effectuant l'un des mouvements qui vous sont demandés pour faire le bilan, vous ressentez une douleur ou un trouble (comme par exemple la vue qui se brouille lorsque vous tournez la tête) :

Il faut arrêter immédiatement le test, prendre votre téléphone et demander une consultation dans les meilleurs délais à votre médecin ou à un spécialiste (rhumatologue, ostéopathe).

---

1 - Tester votre colonne cervicale

Pour réaliser les différents tests ci-après, installez-vous dans une pièce convenablement chauffée et calme, où personne ne vous dérangera. Pour être parfaitement à l'aise, le mieux est de vous déshabiller complètement, afin que les

mouvements ne soient pas gênés par les vêtements.

La colonne cervicale est la partie de la colonne vertébrale à la fois la plus fragile, la plus
mobile et la plus importante sur plusieurs autres
plans : neurologique, circulatoire (irrigation du
cerveau), sensitif (organes de la vue, de l'ouie,
de l'odorat...). Autant dire que toute atteinte de
cette région a toujours des répercussions importantes, non seulement sur l'ensemble du rachis,
mais aussi sur des organes vitaux.

Le test :

Le test vise à s'assurer que la colonne cervicale conserve une bonne mobilité. Pour cela, on
la tournera à droite, puis à gauche. Si les mouvements de rotation ne sont pas assez amples ou
s'ils sont gênés, ou pire, s'ils déclenchent une
douleur ou des troubles des organes des sens indiqués plus haut, cela signifie qu'il y a un sérieux problème de nature osseuse, articulaire ou
musculaire. Il faudra donc consulter rapidement
un médecin.

Procédure :

- Installez-vous sur une chaise ou un tabouret.
  Placez vos mains sous le bord du siège des 2
  côtés, comme pour vous y retenir, mais sans
  tirer.

- Maintenant, tournez lentement la tête à droite,
  de manière à toucher l'épaule droite avec le
  menton. Attention au piège : on est tenté de
  soulever l'épaule pour l'amener au contact du
  menton, ce qui fausse complètement le test.
  Donc, bien bloquer les épaules de sorte que
  seuls la tête et le cou bougent. Ne forcez pas

le mouvement. Si vous n'arrivez pas à faire se toucher menton et épaule, c'est que votre colonne cervicale a perdu de sa souplesse et de sa mobilité.

● Essayez d'évaluer la distance qui sépare le menton de l'épaule : plus cette distance est grande, moins bonnes sont la souplesse et la mobilité.

● Faites le même mouvement, en tournant la tête vers la gauche, cette fois.

Les résultats du test et leur interprétation :

* Si vous parvenez à toucher les 2 épaules avec le menton, votre colonne cervicale est en parfait état. Prenez-en un plus grand soin encore !

* Mais il arrive parfois que l'on touche l'épaule d'un seul côté. Cela a une signification pathologique qui demande une consultation médicale, même en l'absence de toute gêne ou douleur. En effet, une souplesse cervicale déficiente d'un seul côté peut avoit plusieurs causes :

– une arthrose en rapport avec le vieillissement normal ou un traumatisme des articulations dont on a perdu le souvenir ;

– un blocage vertébral unilatéral ;

– une raideur musculaire, une rétraction musculo-aponévrique consécutives à une mauvaise posture naturelle ou professionnelle.

Dans tous les cas, seul le spécialiste, après un examen approfondi et au vu des radiographies, sera en mesure de déterminer la cause exacte de l'anomalie.

2 - Tester la colonne dorsale

La courbure dorsale est la première qui se forme chez le fœtus. Cette primauté souligne l'importance physiologique de ce segment vertébral, dont le dysfonctionnement éventuel retentit toujours sur les autres segments (cervical, lombo-sacré). En cas d'atteinte ou de lésion, on doit donc le traiter en priorité.

Le test ci-après vous permettra d'évaluer sa souplesse et son état général.

Procédure :

- Placez-vous debout contre un mur. Plaquez bien la nuque, le dos et les reins contre ce mur, de sorte à effacer ou à atténuer au maximum la cyphose dorsale et la lordose lombaire.

- Maintenant, avancez les pieds jusqu'à environ 30 cm par rapport au mur, et écartez-les suffisamment pour vous sentir bien campé sur vos jambes.

- À présent, sans décoller la tête, le dos et les reins du mur, tendez les bras devant vous, puis ramenez-les, toujours tendus, en arrière vers le mur, jusqu'à toucher celui-ci. Vous ne devez pas forcer ces mouvements et surtout, veillez à ce que la nuque, le dos et les reins restent bien au contact du mur. Le test n'aurait aucune valeur si tel n'était pas le cas.

- Rappelez-vous que le but n'est pas d'accomplir une performance, en l'occurrence toucher le mur avec les bras, mais de mesurer objectivement, sans "tricher", l'état réel de votre colonne.

Les résultats du test et leur interprétation :

* Souplesse excellente si vous touchez le mur avec les bras sans décoller les reins, les épaules et la nuque.

* Si vos épaules et les bras restent au contact du mur mais pas la tête ni les reins (qui se creusent), vous avez une raideur de la colonne dorsale et de la colonne cervicale ; il y a lieu d'en rechercher la cause (le plus souvent de nature musculaire) et la traiter par des exercices adéquats.

* Si l'occiput, les épaules et le bas des reins restent collés au mur, mais que vous ne le touchez pas avec les bras, il y a une forte raideur de la colonne dorsale : cela nécessite une rééducation.

* Lorsque vous ne pouvez maintenir plaqués ni les reins ni la tête, les courbures physiologiques sont en mauvais état à cause de raideurs articulaires et de rétractions musculaires ; un programme de rééducation, avec décompression vertébrale, étirement des muscles, ligaments et aponévroses, est nécessaire, en même temps qu'un traitement kinésithérapique pour rétablir la souplesse de toute la colonne.

3 - Tester la colonne lombaire

Le segment lombaire, on l'a souligné maintes fois, est le siège privilégié du mal de dos commun. Ce segment est celui qui perd sa souplesse le plus précocement. D'où l'utilité de contrôler celle-ci à intervalles réguliers.

Procédure :

- Debout, dos collé contre le mur, avancez d'une trentaine de cm, les pieds légèrement écartés.

- Penchez-vous en avant, lentement, tête retombante, dos arrondi, bras tendus et en gardant un appui avec les fesses contre le mur .

- Essayez de toucher les orteils ou mieux, le sol, avec le bout des doigts ; le mouvement doit être exécuté sans à-coups ni en forçant : arrêtez dès que vous sentez que ça tire trop sur les reins et sur les muscles postérieurs des cuisses.

Les résultats du test et leur interprétation :

* Si vous arrivez à toucher le sol ou l'extrémité des orteils avec le bout des doigts, votre colonne lombaire a encore une très bonne souplesse.

* Si vos mains ne peuvent pas dépasser les chevilles ou le bas des mollets sans forcer, la situation peut s'améliorer rapidement avec de simples exercices d'assouplissement et d'étirement.

* Si vous vous sentez "bloqué" alors que vos mains arrivent tout juste à hauteur des genoux, il est plus qu'urgent de réagir : les muscles de la région lombaire et les ischio-jambiers sont noués littéralement, ce qui provoque non seulement des contractures douloureuses, mais aussi des compressions vertébrales très fortes sur la colonne lom-

baire. Un programme de rééducation kinésithérapique, avec massages, est indispensable.

4 - Tester la souplesse de toute la colonne vertébrale

Ce test est formellement déconseillé à toute
personne ayant des antécédents vertébraux sévères : tassement de disque, hernie discale, fracture
vertébrale (même ancienne), sciatique, ou tout
autre grave accident ou trouble connu.

Procédure :

● Asseyez-vous à même le sol, jambes bien
tendues devant vous et écartées d'une cinquantaine de cm environ ; les genoux doivent
être bien plaqués contre le sol.

● Faites pivoter doucement le tronc à droite et
posez vos 2 mains de part et d'autre du genou droit, comme pour le saisir.

● Maintenant, vous allez vous pencher en
avant, tête retombante et dos arrondi, et faire
glisser vos 2 mains le long de la jambe, jusqu'à vous rapprocher le plus possible de la
cheville et du pied, sans décoller les genoux
du sol ni ressentir de gêne ou de tiraillement
douloureux au dos ou aux cuisses.

● Mesurez, à vue d'œil, la distance qui sépare
les mains des chevilles et des pieds.

● Ensuite redressez-vous doucement, respirez
amplement, et recommencez le même mouvement avec la jambe gauche.

Remarque : ce test est aussi un exercice classique d'étirement et d'assouplissement du segment lombaire et des muscles postérieurs des
cuisses.

Les résultats du test et leur interprétation :

* Si vous arrivez à envelopper de vos 2 mains les chevilles, l'une après l'autre, la souplesse globale de votre colonne est tout à fait satisfaisante.

* Si vous ne pouvez pas aller plus loin que la mi-jambe, votre colonne est soumise à une forte raideur musculaire et/ou des problèmes articulaires vertébraux : il est temps d'entreprendre une rééducation spécialisée en même temps que l'établissement d'un bilan vertébral général.

* Si vous éprouvez un blocage d'un côté (vous touchez la cheville droite, mais pas la gauche, par exemple), il faut soupçonner des anomalies unilatérales qui seront mises en évidence par des radiographies.

* Si vous ne parvenez même pas à maintenir les genoux bien collés contre le sol, il y a urgence. Consultation spécialisée et rééducation sont indispensables à court terme.

5 - Tester la musculature abdominale et les fléchisseurs de la hanche

Les puissants muscles abdominaux jouent un rôle essentiel dans le maintien de la colonne vertébrale ; les fléchisseurs de la hanche interviennent principalement dans le soutien de la colonne lombaire. Leur entretien conditionne donc le bon équilibre de la colonne.

Procédure :

● Allongez-vous sur le dos devant un meuble très lourd (par exemple une armoire).

● Placez-vous de manière à pouvoir engager

sous le meuble les pieds, pour vous aider à exécuter le mouvement ; les jambes doivent être bien tendues (on est allongé de tout son long).

- Placez vos mains derrière la nuque, épaules contre le sol.

- Maintenant, redressez le tronc, comme pour vous asseoir sur votre séant : le mouvement doit se faire lentement, sans forcer. Si vous y parvenez, recommencez jusqu'à 5 fois successivement, si possible.

Les résultats du test et leur interprétation :

* Votre musculature est :
  - tout à fait satisfaisante si vous réalisez les 5 mouvements
  - satisfaisante avec 4
  - moyenne avec 3
  - passable avec 1 ou 2

* Si vous devez croiser vos bras sur la poitrine pour y arriver, il est temps de fortifier vos muscles.

* Si vous n'y parvenez pas du tout, votre musculature est dans un état pitoyable : il est urgent de commencer un entraînement progressif de remusculation, sous le contrôle d'un moniteur compétent.

6 - Tester la musculature dorsale

Ce test vise à contrôler l'état général des muscles profonds et superficiels du dos, antagonistes des muscles abdominaux. Pour le réaliser, vous aurez besoin d'une personne pour vous aider.

Procédure :

- Allongez-vous face contre terre, le ventre reposant sur 2 coussins d'épaisseur courante.
- Tandis qu'une personne vous maintient les pieds au sol, croisez les mains sur la nuque.
- Puis, en tirant les coudes en arrière, soulevez du sol d'abord le menton, puis le buste ; ayant atteint le maximum d'amplitude de ce mouvement de redressement, essayez de tenir dans cette position 10 secondes.

Les résultats du test et leur interprétation :

- * Si vous y parvenez, et mieux encore, si vous êtes capable de recommencer 2 ou 3 autres fois, en vous reposant dans les intervalles, votre musculature dorsale est en très bon état.
- * Si vous arrivez à tenir à peine quelques secondes, ou si vous ne parvenez qu'à décoller tout juste le menton, alors un entraînement est nécessaire pour reconstituer vos muscles dorsaux.

Remarque : ce test n'est pas recommandé aux lombalgiques chroniques, ni aux arthrosiques. En tout état de cause, il ne faut jamais forcer le mouvement ; il est même conseillé d'y renoncer si le simple fait de s'allonger avec deux coussins sous le ventre provoque un tiraillement dans la région lombaire.

7 - Tester les muscles lombaires

On ne le répétera jamais assez : les muscles de la région lombaire, qui soutiennent ce segment sur lequel pèse tout le poids du tronc et de la tête, doivent être à la fois puissants et souples. Leur affaiblissement, leur relâchement ou leur contraction excessive sont parmi les causes les plus fréquentes des lombalgies récurrentes qui "ne s'expliquent pas".

Procédure :

- Comme pour le test précédent, on s'allonge sur le sol, 2 coussins sous le ventre ; mais cette fois, la personne qui vous aide vous maintiendra contre le sol en appuyant d'une main sur le haut du dos entre les omoplates, de l'autre sur les reins, un peu au-dessus de la ceinture.

- Allongez et collez bien au sol les cuisses et les jambes.

- Puis, jambes tendues, essayez de décoller les pieds et les cuisses du sol et redressez-les le plus possible ; restez dans cette position 10 secondes.

- Si vous vous en sentez la force, recommencez 2 ou 3 fois, en observant une pause entre les mouvements.

Les résultats du test et leur interprétation :

* Si vous réussisez à exécuter ce test comme indiqué, vos muscles lombaires n'ont besoin de rien d'autre qu'un entretien normal et régulier.

* Dans le cas contraire, c'est-à-dire mouvement de faible amplitude ou incapacité à soulever les membres inférieurs, l'entraînement rééducatif est nécessaire.

Remarque : les observations sur le test des muscles dorsaux sont valables également pour ce test-ci.

2 - Exercices pratiques à faire chez soi

Pour entretenir et consolider la musculature vertébrale et soulager le mal de dos.

3 règles fondamentales

Avant d'entrer dans le vif du sujet, voici 3 règles fondamentales que vous devez respecter en toutes circonstances :

Règle n° 1

Il peut être dangereux d'exécuter des exercices chez soi, en dehors de tout contrôle extérieur qualifié, lorsque l'on souffre d'une affection sérieuse, notamment vertébrale, reconnue par un médecin, quelle que soit la nature et l'origine de cette affection, ou après une intervention chirurgicale.

On doit demander impérativement l'avis du médecin traitant avant toute chose, et lui détailler les exercices que l'on souhaiterait faire. S'en tenir strictement à cet avis.

Règle n° 2

Les exercices décrits ci-après ne sont pas destinés à faire de la rééducation fonctionnelle ; ceci relève de la compétence d'un professionnel qualifié, sous le contrôle duquel on travaillera. Les exercices décrits ici ont un double but précis :

a) Entretenir et consolider le système vertébro-musculaire d'une colonne vertébrale saine mais potentiellement menacée par le vieillissement naturel, et plus encore par les conditions de vie moderne, afin de prévenir une usure prématurée ou des atteintes sournoises.

b) Soulager ou éliminer un mal de dos banal, n'impliquant pas de lésion osseuse ou musculaire.

Règle n° 3

Il ne faut jamais forcer l'effort pendant l'exécution d'un exercice. Les mouvements doivent se faire en douceur, calmement, et en prenant tout son temps. On procédera de manière progressive.

Comme vous le savez, et les statistiques le démontrent éloquemment, l'immense majorité des maux de dos sont d'origine musculaire, en rapport soit avec de mauvaises attitudes et habitudes, soit avec un état déficient de la musculature, soit encore avec les 2 à la fois (cas le plus fréquent). Donc, en agissant correctement sur la musculature par des exercices bien conçus, et en s'entraînant régulièrement tous les jours, on peut prévenir et guérir la plupart des rachialgies communes.

Les exercices sont classés en 3 catégories

a) Exercices d'assouplissement : ils consistent en mouvements que l'on exécute en toute décontraction musculaire ; leur but est de préparer les muscles, de les assouplir avant de leur faire faire des efforts, ce qui permet de prévenir toute contraction désagréable.

Les séances quotidiennes d'exercices commenceront toujours par quelques mouvements d'assouplissement, qui font affluer le sang et échauffent légèrement ainsi les muscles.

Il faut noter que les exercices d'étirement et de renforcement contribuent également, à la longue, à l'assouplissement musculaire.

b) Exercices d'<u>étirement</u> : si vous avez un chat ou un chien, vous avez sans doute déjà remarqué que, automatiquement après s'être reposé et avant de reprendre une activité, il s'étire voluptueusement, les pattes antérieures lancées en avant, le corps allongé et relâché, les pattes postérieures rejetées en arrière.

Ce mouvement naturel, que pratiquent d'instinct tous les animaux et plusieurs fois par jour, a cessé malheureusement d'être automatique pour l'homme moderne. Pourtant, il présente d'innombrables avantages, notamment :

- il empêche le tassement du corps sur lui-même à cause de la pesanteur, des postures de travail, des tensions entraînées par les attitudes corporelles en général ;
- il réduit la tension musculaire et retarde de ce fait l'apparition de la fatigue ;
- il stimule et améliore la circulation sanguine, artérielle et veineuse, et lymphatique ;
- il a un effet ralentisseur sur les processus de vieillissement des articulations et des disques vertébraux.

Pour toutes ces raisons, les exercices d'étirement constituent la base de tout programme de renforcement vertébral. De plus, c'est très souvent par l'étirement que l'on peut faire disparaître les dorsalgies communes.

c) Les exercices de renforcement et de tonifica-tion : il s'agit de redonner au muscle tout à la fois son volume, son élasticité et sa capa-cité à se contracter et à se décontracter (c'est le travail musculaire proprement dit), en pro-duisant et en consommant de l'énergie.

Toutes les activités sportives sont des exerci-ces particuliers de renforcement et de tonification musculaires. Les exercices que nous vous proposons ici visent à compenser l'absence ou le manque d'activité physique et sportive, qui sont le lot du sédentaire.

Ces exercices n'exigent aucun matériel pour être pratiqués : c'est ce qui fait tout leur inté-rêt. En fait, vous pourrez vous exercer, vous entraîner à peu près n'importe où, sans gêner personne, ni vous fatiguer outre mesure. Et cependant, vous constaterez rapidement (au bout de 2 à 3 semaines d'entraînement) une nette amélioration de votre état général.

De plus, tout comme les exercices d'étire-ment qu'ils complètent, ceux de renfor-cement et de tonification sont recommandés dans de nombreux cas pour combattre cervi-calgies, dorsalgies et autres lombalgies.

Comment organiser vos séances d'exercices ?

Retenez d'abord une notion essentielle : il vaut mieux faire peu d'exercices mais les exécu-ter très correctement et surtout, tous les jours, que faire de longues séances plus ou moins bâ-clées et irrégulières. Procéder de cette dernière manière ne produit que de très médiocres résul-tats, soyez-en certains !

L'idéal est de prévoir 2 séances de 10 à 15

minutes, une le matin au réveil, l'autre le soir au retour du travail.

Si vos occupations ne vous le permettent pas, fixez-vous l'objectif le plus facile à atteindre dans votre situation, mais tenez-vous à cet objectif une fois pour toutes.

Il faut absolument éviter de changer d'horaire : si vous décidez de vous entraîner le matin, il est indispensable qu'il en soit ainsi tous les jours, et non pas un jour le matin, le lendemain, le soir. L'efficacité en serait sensiblement réduite.

Pour commencer, une séance d'exercice

Une séance d'exercice doit toujours commencer par des exercices d'assouplissement, puis des étirements et enfin des exercices de renforcement.

Combien d'exercices de chaque catégorie ? Cela n'a qu'une importance relative : c'est à l'expérience que vous trouverez votre rythme propre. Sachez cependant, pour vous donner un ordre d'idée, qu'un minimum de 5 exercices de chaque catégorie est nécessaire pour obtenir des résultats tangibles. Si vous pouvez disposer d'un peu plus de temps pour vos séances, augmentez plutôt le nombre d'exercices d'étirement, car ils sont meilleurs pour la colonne vertébrale.

Quelques conseils pratiques

– Prévoyez de pratiquer votre entraînement toujours dans la même pièce ou le même local, bien aéré, calme, convenablement chauffé à la mauvaise saison.

- Si la température ambiante le permet, exercez-vous en short, sinon en sur-vêtement de jogging ou toute autre tenue, pourvue qu'elle soit ample et ne gêne pas les mouvements.
- Vous serez pieds nus, bien entendu.
- N'oubliez pas d'avoir une montre à portée de main ou de vue.
- N'allez jamais jusqu'à la limite de la fatigue, surtout au début de votre entraînement.
- Exécutez vos exercices de manière détendue, en conservant aux gestes et aux mouvements leur naturel.
- Soyez concentré sur ce que vous faites, attentif aux réactions de votre corps, de vos muscles.

a) Exercices d'assouplissement

Exercice 1

- Debout au milieu de la pièce, jambes légèrement écartées, genoux relâchés, laissez pendre les bras le long du corps.
- Levez lentement le bras droit tendu, jusqu'à le porter à la verticale, au-dessus de la tête.
- Pendant ce mouvement, inspirez calmement et profondément, sans contracter les reins ni trop rentrer le ventre : restez naturel, tout en vous concentrant sur le remplissage de vos poumons.
- Ensuite, ramenez le bras à sa position initiale, tout en expirant toujours calmement et sans forcer.
- Faites le même mouvement avec le bras gauche
- Exécutez l'exercice une dizaine de fois.

Exercice 2

- Toujours debout dans la position précédente, vous allez soulever simultanément les 2 bras latéralement, jusqu'à les amener à la hauteur et dans l'alignement des épaules (silhouette de l'épouvantail).
- Pendant ce mouvement que vous exécuterez lentement et sans contraction, inspirez profondément.
- Puis rabaissez lentement les 2 bras, en expirant calmement.
- Répétez une dizaine de fois.

Exercice 3

- Toujours dans la même position debout, posez les 2 mains sur le devant des 2 cuisses.
- Inclinez lentement le tronc en avant, en laissant glisser les mains sur vos cuisses, et tout en expirant ; il ne faut pas forcer ce mouvement : arrêtez-le dès que vous sentez que ça commence à tirer sur les muscles des reins.
- Alors, revenez toujours lentement, en inspirant, jusqu'à retrouver la position verticale initiale, puis laissez le tronc basculer doucement en arrière.
- Vous ne devez à aucun moment vous contracter ni forcer le mouvement.
- Recommencez une demi-douzaine de fois.

Exercice 4

- Toujours debout, ventre rentré sans contraction, fesses serrées sans effort, étendez les 2 bras horizontalement tout en inspirant profondément ; attention à ne pas creuser les reins.

- Une fois les bras complètement étendus et décontractés, ramenez les avant-bras vers la tête en pliant les coudes, jusqu'à toucher le haut de chaque épaule avec le pouce.
- Expirez calmement pendant ce mouvement.
- Recommencez une dizaine de fois.

Exercice 5

- Toujours en position debout, le corps bien relâché, posez les mains sur les hanches (en enveloppant les bords du bassin entre le pouce et l'index écartés).
- Après une bonne inspiration, basculez latéralement le tronc à droite, tout en expirant lentement ; l'amplitude du mouvement n'a pas une grande importance, mais vous devez arrêter dès que vous sentez un début de tiraillement sur le flanc gauche.
- Commencez alors à revenir lentement à la position de départ en inspirant.
- Observez une très courte pause (2 secondes), puis, en même temps que vous expirez lentement, amorcez un mouvement identique en basculant le tronc à gauche.
- À la fin de la trajectoire, revenez à la position verticale.
- L'exercice consiste donc à se balancer d'un flanc sur l'autre, en coordonnant ces mouvements avec la respiration. Il ne faut à aucun moment forcer les gestes.
- Recommencez une dizaine de fois.

Exercice 6

- Installez-vous sur une chaise, décontracté, les bras ballants des deux côtés, les pieds écartés de 30 cm environ, les genoux pliés.

- Soulevez lentement le genou droit toujours plié, le plus haut possible, mais sans forcer ni tirer sur la cuisse : le dos doit rester droit.

- Ensuite, dépliez lentement le genou et avancez-le devant vous, comme pour donner un coup avec la plante du pied, mais au ralenti.

- Ramenez la jambe à la hauteur de la gauche, sans avoir posé le pied à terre.

- Faites la même chose avec le genou gauche, et recommencez une dizaine de fois.

- Cet exercice exige un peu plus de concentration pour être exécuté avec la lenteur et la décontraction requises.

Exercice 7

- Assis sur la chaise, genoux pliés, écartez largement les jambes, mais sans exagération (50 cm environ).

- Laissez pendre les bras devant vous, entre les cuisses, mains et doigts relâchés.

- Le buste bien droit mais sans raideur, prenez une bonne et profonde inspiration, puis commencez à fléchir le buste devant vous (comme pour ramasser un objet par terre), tout en expirant lentement ; le but est d'arriver à effleurer le sol avec le bout des doigts, sans tirer sur les muscles du dos : dès que vous sentez un début de tiraillement, il faut commencer le mouvement, tout doucement, de redressement du buste. Faites 4 ou 5 flexions.

- La difficulté au début de l'entraînement est que l'on oublie de bien arrondir le dos et d'enrouler les épaules en se baissant - faute de quoi, c'est-à-dire si l'on garde une certaine raideur dorsale, le tiraillement survient à peine le mouvement amorcé !

- Après quelques séances d'entraînement, vous serez capable de faire cet exercice - irremplaçable pour la souplesse de tout le dos - très facilement.

- Vous arriverez même à toucher le sol avec les poings fermés (comptez 5 à 6 semaines d'entraînement quotidien pour cela).

Exercice 8

> **Cet exercice et les suivants se font au sol, sur la moquette, le tapis ou une couverture.**

- Allongez-vous sur le dos, jambes mollement repliées, les bras allongés près du corps, le dos bien au contact du sol (voir fig. 10a, b, c d, page 301).

- Relevez le genou droit et saisissez-le des 2 mains, en l'accompagnant dans un mouvement lent et doux vers le ventre et la poitrine : attention, il ne faut pas le tirer, mais l'accompagner sans forcer ; le dos doit rester constamment bien au contact du sol.

- Ensuite, ramenez la jambe à sa position ini-

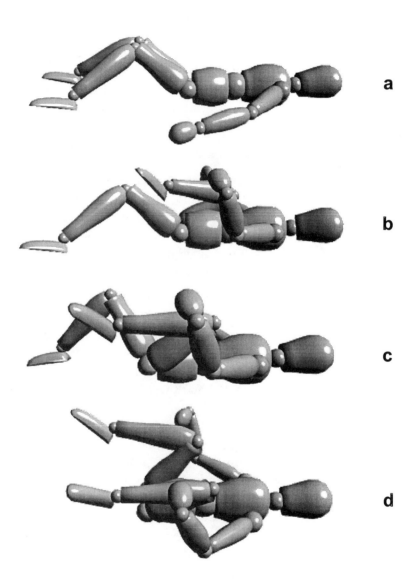

Figures 10a, b, c, d

302 / 2 - Exercices pratiques à faire chez soi

tiale, et opérez de la même façon avec le genou gauche.

- Dans un troisième temps, placez les mains sur chaque jambe, et repliez celles-ci simultanément sur le ventre et la poitrine, sans jamais forcer le mouvement. L'amplitude de ce geste d'assouplissement n'a aucune importance.

Exercice 9

- Toujours allongé sur le dos, les bras légèrement écartés du corps, paumes contre le sol, genoux à demi pliés (voir fig. 11, page 303), prenez une bonne inspiration.
- Puis, décollez et soulevez le bassin et le bas du dos, tout en expirant lentement .
- Revenez à la position de départ
- Recommencez 6 fois.
- Pour être correctement exécuté, cet exercice ne doit pas comporter d'effort musculaire abdominal, ni d'appui sur les bras ; les épaules et la tête doivent rester au contact du sol.

Exercice 10

- Maintenant, mettez-vous à quatre pattes (voir fig. 12, page 304), le dos bien décontracté (attention à ne pas creuser les reins), la tête dans le prolongement et sans aucune raideur de la nuque.
- Le mouvement consiste à abaisser le tronc vers le sol en fléchissant les coudes, jusqu'à ce que le front touche par terre, puis à le relever (comme lorsque l'on fait des pompes), en prenant appui sur les mains. Expirez en baissant le tronc, inspirez en le redressant.

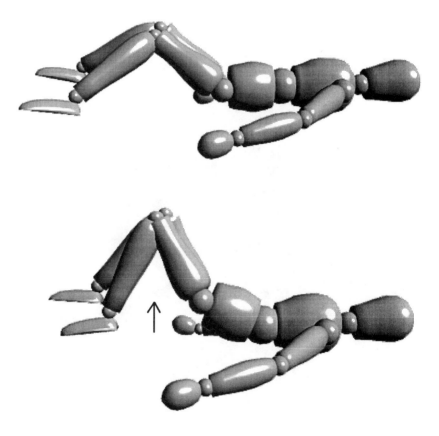

Figure 11

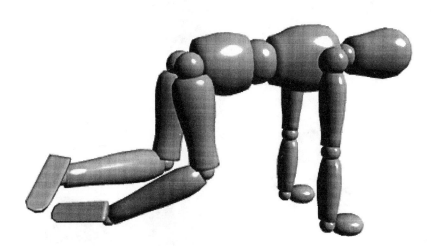

Figure 12

Procédez comme toujours, lentement, calmement, et en vous concentrant sur chaque geste.

Observations sur les exercices d'assouplissement

5 petites minutes de ces exercices tous les matins au réveil vous prédisposeront à passer une bonne journée. C'est pourquoi, nous le recommandons vivement à toutes les personnes qui ne peuvent faire leurs séances d'entraînement que le matin.

De plus, ces exercices comprennent indirectement des étirements et des renforcements musculaires en douceur.

Les individus beaucoup trop "rouillés" pour commencer d'emblée un entraînement complet, peuvent très bien débuter pendant le premier mois avec ces exercices très faciles et peu fatigants, à condition de faire 2 séances quotidiennes incluant les 10 exercices à chaque fois.

Sachez encore que :
– Les exercices en station debout (1 à 5) sont excellents pour combattre les courbatures, notamment les cervicalgies, après une nuit agitée.
– Les exercices au sol soulagent les lombalgies, tandis que les dorsalgies s'atténuent avec les exercices sur la chaise.

b) Exercices d'étirement

Remarques préliminaires : rappelons qu'il est conseillé de faire quelques exercices d'assouplissement avant de faire des étirements.

Pour ces derniers, il n'y a pas d'ordre particulier à suivre, en ce sens que vous pouvez très bien faire des étirements des muscles dorsaux aujourd'hui et des étirements des abdominaux demain. Toutefois, on recommande toujours de varier les exercices au cours de la même séance, c'est-à-dire qu'il est préférable de solliciter à chaque séance tous les grands groupes de muscles, ne serait-ce que par 1 seul exercice.

Exercice 11

Cet exercice permet d'étirer l'ensemble de la région dorsale tout en améliorant la mobilité thoraco-vertébrale.

- Debout, on se place dans la position de travail que vous devez adopter désormais pour tous les exercices en station debout : les pieds écartés de 30 cm environ, genoux légèrement fléchis, bassin en retrait, fesses serrées sans effort, ventre rentré, dos légèrement reculé, épaules presque à l'aplomb du bassin, menton rentré ; vous devez sentir que le poids du corps repose pour l'essentiel sur les talons.

- Efforcez-vous de bien maîtriser cette position, au besoin faites des répétitions devant une grande glace.

- Étant donc dans cette position, placez vos 2 mains l'une sur l'autre et plaquez-les sur le sternum (voir fig. 13, page 307) ; les bras doivent être tenus parfaitement horizontaux, la tête un peu en avant.

- Maintenant, vous allez simultanément pousser les coudes en avant, comme pour repousser quelque chose, et appuyer sans forcer des 2 mains sur le sternum. Cela aura pour effet de faire reculer et de "déverrouiller" les vertèbres du segment dorsal, ce qui se traduit par une

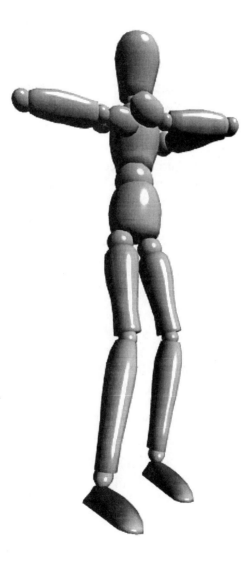

Figure 13

impression d'étirement au niveau des 2 omo-plates.

- Recommencez 5 fois, après des pauses d'une quinzaine de secondes.

Observation :

Cet exercice est recommandé pour combattre les cervicalgies.

Exercice 12

Il s'agit d'étirer les grands muscles du dos en même temps que les muscles de la zone lombo-sacrée (voir fig 14, page 309).

- Placez-vous correctement, en position de travail debout (décrite à l'exercice 11). Tendez bien droit le bras gauche vers le plafond, poignet retombant mollement. Enroulez le bras droit autour des côtes sous l'aisselle gauche.

- Maintenant, poussez le dos du poignet comme si vous vouliez atteindre et toucher le plafond, tandis que les doigts de cette main tirent fortement vers le bas ; le bras doit rester bien dans l'axe. Il faut éviter de se pencher du côté opposé (en l'occurrence, à droite).

- En gardant bien la position, rentrez la poitrine et plaquez les côtes contre la main droite qui leur sert d'appui, sans bouger la tête ; maintenez cette tension pendant 10 secondes, en vous efforçant de repousser le bassin en arrière.

- Relâchez tout ; faites 2 respirations profondes et calmes.

- Puis, procédez de la même manière avec le

Figure 14

bras et le côté droits. Recommencez trois fois la série de mouvements.

Observation :

Cet exercice, assez difficile à bien maîtriser au début, soulage bien des dorsalgies et des lombalgies récalcitrantes.

Exercice 13

Il s'agit d'étirer les muscles de la colonne cervicale (qui sont parmi les plus sollicités et donc les plus sujets aux contractures et aux douleurs).

- Placez-vous dans la position de travail debout.
- Laissez pendre les bras le long du corps ; fléchissez les poignets, les doigts orientés vers l'extérieur (voir fig. 15, page 311).
- Maintenant, vous allez simultanément pousser le dos des poignets vers le sol tout en abaissant les épaules, et pousser le sommet du crâne vers le plafond en rentrant le menton. Maintenez la tension pendant 10 secondes, relâchez, puis recommencez 3 ou 4 fois après des pauses de 15 secondes.

Observation :

Cet exercice est particulièrement efficace contre les cervicalgies liées à une mauvaise position pendant le sommeil.

Exercice 14

Il s'agit d'étirer les grands muscles du dos qui s'insèrent en haut sur les bras et en bas sur le bassin. Fortement sollicités, notamment lorsque l'on porte une charge, ils sont souvent en

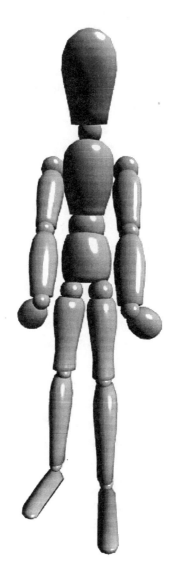

Figure 15

état de rétraction, d'où des dorsalgies et des lombalgies douloureuses.

- On se place donc en position de travail debout.

- Levez le bras droit le long de la tête, fléchissez le coude de sorte que l'avant-bras repose sur le haut du crâne et fermez la main sans serrer.

- Placez le bras gauche autour de la poitrine, la main venant s'agripper à l'aisselle droite (voir fig. 16, page 313).

- Maintenant, vous allez coordonner simultanément les mouvements suivants :

  - la pointe du coude droit tire vers le haut, tandis que la poitrine rentre comme si elle était repoussée contre le dos ;

  - basculez le bassin en arrière, tout en plaquant les côtes contre la main gauche ; il ne faut pas pencher le buste du côté opposé.

- Maintenez cette position tendue pendant 10 secondes, puis relâchez.

- Après une petite pause, procédez de la même manière avec le bras gauche.

- Recommencez 4 ou 6 fois, selon l'état de fatigue.

Observation :

Cet exercice est particulièrement indiqué dans les dorsalgies dues à une mauvaise posture de longue durée (par exemple, lorsque l'on a conduit pendant plus de 2 heures d'affilée, dans de mauvaises conditions de circulation).

Figure 16

Exercice 15

Le but est d'étirer les petits muscles profonds de tout le rachis, tout en diminuant les tensions ligamentaires et les pressions sur les disques.

- Placez-vous debout contre un mur dans la position suivante (voir fig. 17, page 315) :
  - pieds avancés d'une trentaine de cm et écartés de de 40 cm ;
  - bassin, omoplates et arrière de la tête en appui contre le mur ;
  - vous devez vous sentir bien calé et en équilibre.

Lorsque la colonne vertébrale est trop tendue, il arrive souvent, au début de l'entraînement, que l'on ne parvienne pas à se placer correctement dans cette position (bassin trop décollé du mur, impossibilité de plaquer en même temps les omoplates et l'arrière de la tête contre le mur).

Dans ce cas, attendez quelques jours, ou même 1 semaine ou 2, avant de faire cet exercice ; entretemps, votre colonne aura retrouvé une meilleure souplesse grâce aux exercices plus faciles.

- Bref, quand vous pouvez vous placer comme indiqué, efforcez-vous de coller les reins contre le mur en faisant basculer le bassin : pour cela, rentrez le ventre tout en remontant le bas-ventre vers le haut.
- Allongez le cou, rentrez le menton, le sommet du crâne poussant vers le plafond.
- Ensuite, relevez lentement les bras tendus, comme pour les amener au contact du mur

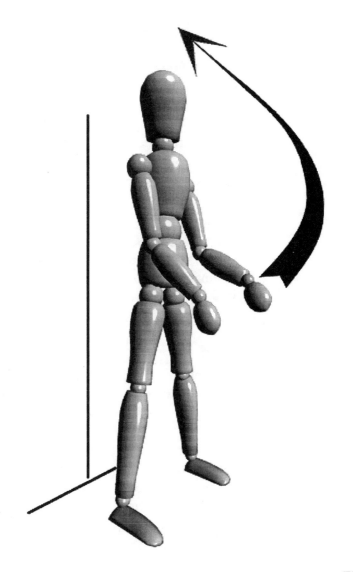

Figure 17

derrière vous ; ce mouvement sera arrêté à mi-course ou même avant par la tension des muscles profonds du dos et ceux des épaules. Vous ne devez pas forcer, et arrêter le mouvement dès lors que la tension devient presque douloureuse.

- Gardez cette position une dizaine de secondes, en respirant calmement et le plus profondément possible.
- Ensuite, relâchez-vous, bras le long du corps.
- Recommencez 3 à 6 fois, en observant des pauses de 10 secondes.

Observation :

Cet exercice est l'un des meilleurs qui soient pour étirer la colonne en profondeur, lui redonner souplesse et tonicité, tout en renforçant les abdominaux.

Il est indiqué pour combattre toutes les rachialgies de postures et de sédentarisme.

Exercice 16

Son but est l'étirement simultané dans le même mouvement des muscles, ligaments et tendons du dos, des épaules, du ventre et des jambes.

Son avantage est la simplicité et la facilité d'exécution.

- Placez-vous face à un mur, dans la position suivante (voir fig. 18, page 317) :
  - Les pieds écartés de 30 cm environ et à une distance convenable du mur.
  - Inclinez le tronc en avant, de manière à ce que vos mains viennent s'appliquer à plat

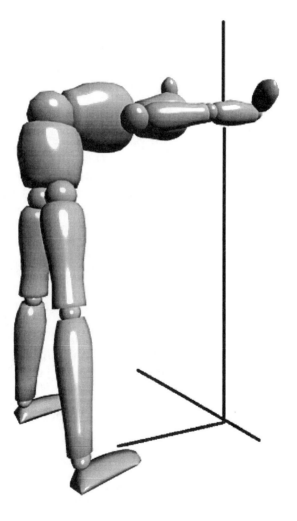

Figure 18

sur le mur ; ajustez la distance entre les pieds et le mur, de sorte que vous ne ressentiez aucun tiraillement dans cette position au repos.

– Les genoux doivent être libres, sans tension.

– Les bras bien droits, coudes tendus, sont dans le prolongement des épaules (pas d'écart vers l'intérieur ou vers l'extérieur).

Prenez le temps de bien vous placer ainsi.

● Le mouvement d'étirement consiste alors à abaisser la poitrine vers le sol, tandis que l'on repousse les fesses en arrière et vers le haut, les bras restant tendus, les mains bien plaquées contre le mur, les genoux stables (ne pas les plier même imperceptiblement).

● Poursuivez ce double mouvement jusqu'à ce que vous ressentiez une tension tout le long du dos et à l'arrière des cuisses. Arrêtez aussitôt que la tension devient fatigante.

● Relâchez-vous.

● Vous devez pouvoir tenir cette position d'étirement à la limite de la fatigue pendant 10 secondes.

● Recommencez 6 à 10 fois, avec des pauses de 10 secondes, sans changer de position.

Observation :

Exercice particulièrement recommandé aux débutants qui ne pratiquent pas d'activités physiques depuis longtemps, il soulage les lombalgies rebelles.

Exercice 17

On vise l'étirement des muscles profonds du bas du dos et des fesses, dont la rétraction est une des principales causes de lombalgies des travailleurs assis.

- Pour l'exécuter, on se positionne comme suit (voir fig. 19, page 320) :
  - On se place debout devant un tabouret ou une chaise.
  - On pose le pied droit sur le tabouret, genou fléchi, la pointe du pied tournée vers l'intérieur.
  - Le pied gauche qui sert d'appui doit être à une trentaine de cm en arrière du tabouret, genou légèrement fléchi.

  vous devez vous sentir tout à fait en équilibre et décontracté dans cette position.
- Maintenant, posez la main droite sur le haut de la cuisse droite ; la main gauche vient saisir le genou droit.
- En même temps que vous tirez le genou droit vers l'intérieur, inclinez le tronc un peu en avant pour verrouiller le bassin et repoussez la fesse droite en arrière. Dès que vous sentez la tension atteindre un niveau presque douloureux, relâchez.
- Reposez le pied droit par terre, respirez amplement.
- Puis faites le même mouvement avec la jambe gauche.
- Recommencez 4 à 6 fois.

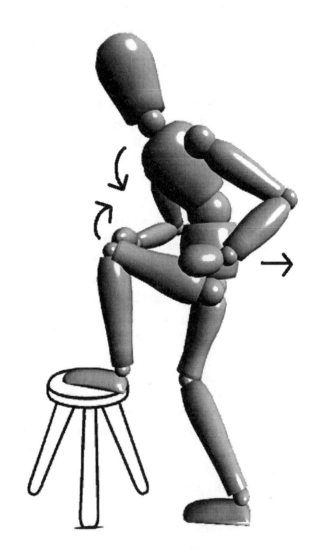

Figure 19

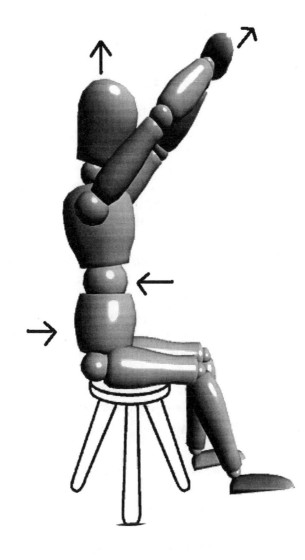

Figure 20

Observation :

Cet exercice détend en profondeur la région sacro-lombaire. C'est un moyen efficace pour combattre les lombalgies, en particulier celles qui sont liées au travail en station debout.

Exercice 18

Il est destiné à étirer les muscles abdominaux.

- La position de départ est très simple (voir fig. 20, page 321) : on s'asseoit sur un tabouret ou sur une chaise, les pieds bien à plat et écartés de 30 cm, le dos et la tête alignés en décontraction et en équilibre (corrigez éventuellement la tendance à la cambrure des reins).

- Maintenant, relevez lentement les 2 bras tendus, poings fermés, un peu en avant de la tête.

- Dans le même mouvement, tirez sur les bras vers le haut et en avant, poussez le haut du crâne, comme pour allonger la longueur du tronc, rentrez le ventre en remontant l'estomac vers le diaphragme, tout en basculant le bassin légèrement en avant, fesses serrées.

- Maintenez cette position pendant 10 secondes.

- Relâchez, puis recommencez 10 fois, avec des pauses de 10 secondes.

Observation :

Cet exercice très simple peut être exécuté au bureau plusieurs fois par jour. Il combat la fatigue du travail assis, prévient les lombalgies dues à la compression du tronc sur la région sacro-lombaire. Il est recommandé également aux personnes qui ont tendance à la ptôse abdominale.

Exercice 19

On vise ici à l'étirement simultané des muscles abdominaux et dorsaux.

- On s'allonge sur le dos, dans la position suivante (voir fig. 21, page 324) :
    - Tendez la jambe droite et le bras droit, poing replié, la tête reposant sur un coussin assez mince.
    - Repliez la jambe gauche, genou fléchi, le pied bien en appui sur le sol.
    - Rentrez le ventre, en serrant les fesses de manière à verrouiller le bassin.

- Maintenant, vous devez dans le même temps tirer le talon droit (comme pour le repousser plus loin devant), contracter la pointe du pied en l'amenant vers le genou, maintenir bien plaquée au sol la jambe sur toute sa longueur, comprimer encore le ventre en repoussant le diaphragme, et pousser le poignet droit dans une direction exactement opposée à celle du talon. La combinaison des 2 mouvements aboutissant à une sorte d'écartèlement du corps, comme si 2 personnes tiraient l'un sur votre talon, l'autre sur votre bras, dans un sens opposé.

- Maintenez cette position pendant 10 secondes, puis relâchez.

- Après une pause, procédez de la même manière du côté gauche.

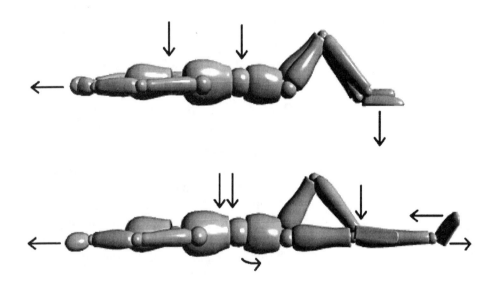

Figure 21

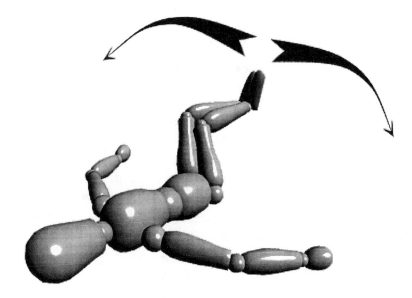

Figure 22

- Recommencez 6 fois, avec des pauses de 10 secondes.

Observation :

Cet exercice, doublement utile et efficace, permet de combattre les contractures à tous les niveaux de la colonne vertébrale.

Il est recommandé pour soulager toutes les dorsalgies, quelle que soit leur localisation. Mais il convient de coordonner parfaitement les différents mouvements.

Exercice 20

Cet exercice dit de "Sambucy", vise "à assouplir les vertèbres lombaires en rotation, libérer les articulations postérieures et faire travailler les muscles abdominaux grands droits, obliques et transverses, de façon à la fois statique et dynamique".

Il est donc intermédiaire entre l'étirement et le renforcement musculaire, d'où son intérêt.

- La position de travail est assez simple à première vue (voir fig. 22, page 325) :
  - On s'allonge sur le dos, bras allongés, mains à plat sur le sol.
  - On replie les cuisses et les jambes (accolées mais non serrées l'une contre l'autre), de sorte que les cuisses par rapport au tronc, et les jambes par rapport aux cuisses, soient à angle droit. C'est là qu'est la difficulté surtout pour le débutant. Or, l'efficacité de l'exercice dépend de cette position particulière.

Pour contourner la difficulté, on peut, dans

les premières semaines d'entraînement, disposer un tabouret sous les mollets pour servir d'appui aux jambes - la hauteur du tabouret doit être exactement appropriée pour que la jambe puisse former un angle droit par rapport à la cuisse (un tabouret trop haut ouvre l'angle ; trop bas, il le diminue).

- Une fois la position correcte adoptée, le mouvement consiste à basculer lentement les genoux à droite, en inspirant calmement.

- On arrête le mouvement à mi-distance par rapport au sol ; le tronc et la colonne vertébrale doivent rester immobiles (prenez appui sur vos bras) ; évitez de décoller les reins du sol.

- Quand on a arrêté le mouvement de bascule comme indiqué, on ramène ensuite lentement les genoux à la position de départ, en expirant doucement.

- Après une pause de 10 secondes, effectuez un mouvement de bascule identique, mais sur le côté gauche cette fois.

- Recommencez une dizaine de fois, avec des pauses.

Observation :

Cet exercice, techniquement assez difficile à exécuter, est cependant vivement recommandé à tous ceux qui ne pratiquent aucun sport. Il fait travailler, en effet, un grand nombre de muscles qu'il assouplit, étire et tonifie en même temps.

c) Exercices de renforcement et de tonification

Remarques : les exercices décrits ci-après sont conçus pour redonner de la puissance, de la tonicité et de la souplesse aux muscles, ceci afin

de renforcer la protection de l'ensemble vertébral.

Nous vous recommandons de commencer à
les pratiquer régulièrement après 3 ou 4 semaines d'entraînement avec des exercices d'assouplissement et d'étirement, surtout si vous êtes du
genre sédentaire, pratiquant très peu d'activités
physiques.

D'une manière générale, programmez toujours quelques exercices d'assouplissement et/ou
d'étirement avant de faire des exercices de renforcement, ceci afin de prévenir tout incident
(un muscle "froid" peut réagir douloureusement,
si on l'oblige à travailler en force).

Exercice 21

Pour renforcer les muscles dorsaux profonds
et superficiels.

- On se met debout face à un mur, les jambes
  droites sans raideur, les pieds écartés de 30
  cm et posés à plat à 50 cm du mur (voir fig.
  23, page 329).
- Prenez la position d'équilibre dynamique,
  ventre rentré, fesses serrées, bassin légèrement en retrait en arrière, menton rentré, tête
  droite.
- Placez les mains sur le mur, paumes à plat et
  tournées vers l'intérieur, coudes légèrement
  fléchis.
- Le mouvement consiste à se rapprocher lentement du mur sans chercher à le toucher avec
  le front, en basculant le haut du corps en
  avant.
- Pour contrôler le mouvement, ne vous servez

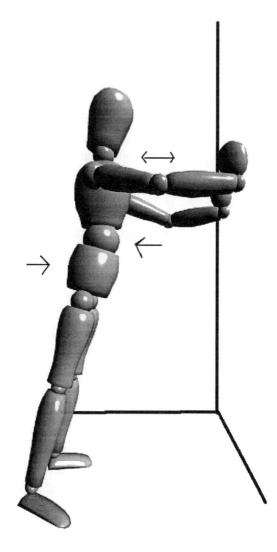

Figure 23

pas de vos bras, mais des muscles du dos et du ventre que vous tendrez suffisamment, mais sans exagération.

- Lorsque la tête parvient à 10 cm du mur, amorcez un lent mouvement de redressement, de manière à retrouver la position debout de départ : là encore, sollicitez le moins possible les muscles des bras, et faites travailler ceux du dos et de l'abdomen.

- Pendant ces mouvements, expirez lentement en vous rapprochant du mur, puis inspirez de même en vous redressant.

- Faites une pause de 10 secondes, puis recommencez une dizaine ou une quinzaine de fois.

Observation :

C'est l'exercice de renforcement musculaire du dos le plus simple mais pas le moins efficace, loin s'en faut.

On le recommande en complément aux exercices d'étirement, conseillés pour soulager les lombalgies.

Exercice 22

Pour un renforcement global de toute la musculature dorsale.

Imaginé par le Dr Arlaud, spécialiste de la médecine vertébrale au début du siècle, cet exercice reste l'un des meilleurs, parce qu'en plus de son efficacité il épargne totalement les disques et les vertèbres.

- Position de départ (voir fig. 24, page 331) : on s'allonge à plat ventre, jambes bien étirées, bras tendus en avant dans le prolonge-

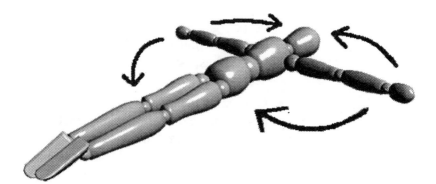

Figure 24

ment des épaules, paumes ouvertes posées à plat par terre, front contre le sol ; en cas de cambrure marquée (hyperlordose lombaire), on disposera un coussin d'épaisseur moyenne sous le ventre.

- Le mouvement se déroule ainsi : soulevez le plus haut possible, sans accentuer le creux des reins, les bras et les mains, en gardant les paumes tournées vers le bas et les coudes rigides.

- Ensuite, ramenez les bras lentement en arrière sur les côtés (comme si on voulait tracer un demi-cercle avec les 2 membres supérieurs).

- Quand vous arrivez à la position les "bras en croix", gardez cette position pendant 3 secondes, puis poursuivez le mouvement des bras vers le bas, pour les amener le long des cuisses.

- Gardez cette position pendant 3 secondes, puis ramenez les bras à la position "bras en croix", petit arrêt de 3 secondes, et enfin revenez à la position de départ, les bras allongés devant vous, dans le prolongement des épaules.

- Reposez les mains, paumes contre le sol, et respirez calmement pendant 20 secondes.

- Recommencez 2 fois au début de l'entraînement, puis augmentez progressivement le nombre de mouvements (3, 5, 7, etc.), sans jamais dépasser les limites de la fatigue.

Observation :

Il faut veiller à ne pas soulever la poitrine au cours de cet exercice, ce qui aurait pour effet d'accentuer la cambrure lombaire. De même, n'appuyez pas le front contre le sol, pour éviter une compensation au niveau de la colonne cervicale.

Cet exercice est chaudement recommandé à tous ceux qui souffrent de rachialgies, mais en dehors des poussées douloureuses.

Exercice 23

Pour renforcer les muscles de la région lombaire et des fesses (souvent très contractés et douloureux).

- On se positionne de la manière suivante (voir fig. 25, page 334) :
  - On s'allonge par terre sur un côté, de préférence le long d'un mur pour garder un bon alignement des jambes, du tronc et de la tête
  - On replie la jambe en contact avec le sol pour éviter une cambrure des reins.
  - Le bras au sol sert de coussin pour soutenir la tête, le bras libre est replié à hauteur du sternum, main contre le sol pour servir d'appui au tronc et l'empêcher de pencher.
  - La jambe libre est tendue, talon reposant sur le sol.
- Le mouvement à faire est le suivant : on tire fortement sur la pointe du pied libre (celui du dessus) comme si on voulait redresser les orteils vers le genou, et dans le même temps on soulève lentement la jambe libre bien tendue jusqu'à l'amener à l'horizontale : il ne faut pas qu'elle aille plus haut.

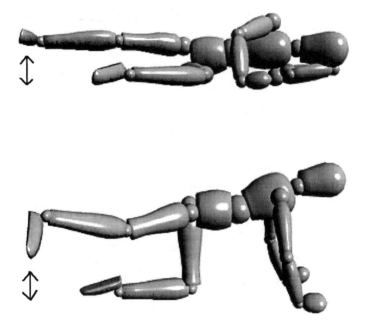

Figure 25

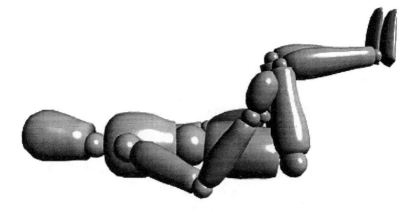

Figure 26

- Durant ce mouvement, le bassin doit rester stable, sans pencher sur le côté. L'élévation de la jambe se fera très lentement : 6 secondes entre le décollage du sol et la position à l'horizontale.

- Maintenez-la ainsi pendant 3 secondes, puis rabaissez-la vers le sol très lentement (6 secondes).

- Faites une pause, puis recommencez une dizaine de fois.

- Puis, tournez-vous en changeant de côté pour faire travailler l'autre jambe.

- Si vous travaillez le long d'un mur, il faut intervertir la place de la tête et des jambes : redressez-vous sur votre séant, puis allongez-vous sur le côté précédemment libre.

Observation :

Le bénéfice de cet exercice n'apparaît évident qu'après plusieurs semaines d'entraînement régulier ; mais c'est un bénéfice de longue durée.

L'exercice peut compléter avantageusement les étirements recommandés pour combattre les lombalgies récalcitrantes.

Exercice 24

Le but est de renforcer les muscles abdominaux dont nous avons souligné à plusieurs reprises l'importance cruciale pour le maintien d'une colonne vertébrale saine et pour prévenir et combattre les rachialgies de toutes origines.

- La position de travail est la suivante (voir fig. 26, page 335) :

  – On s'allonge par terre sur le dos, les cuisses et les jambes fléchies de manière à être à angles droits.

– Le dos sera collé contre le sol sur toute sa longueur, de manière à effacer ou fortement atténuer le creux des reins et la cyphose du haut du dos (bien relâcher les épaules).

– Le cou est libre, sans contraction (au besoin soutenu par un mince coussin), menton rentré.

● Le mouvement se déroule ainsi : posez vos mains sur les cuisses ; faites une profonde inspiration, puis appuyez fortement les mains contre les cuisses comme pour les forcer à se déplier, mais exercez en même temps une forte résistance des cuisses comme si elles s'opposaient à la poussée des bras.

● Durant ce mouvement, rentrez le ventre en le contractant, tout en expirant lentement.

● Maintenez l'effort pendant au moins 6 secondes jusqu'à la fin de l'expiration, sans jamais redresser la tête.

● Relâchez-vous, faites une pause de 15 à 20 secondes, puis recommencez une dizaine de fois.

Observation :

C'est l'un des meilleurs et des plus faciles exercices pour reconstituer une musculature abdominale digne de ce nom !

C'est l'exercice complémentaire idéal de tous les étirements, en dehors des périodes de douleurs aiguës.

Exercice 25

Pour renforcer et tonifier les muscles abdominaux dans leur ensemble.

- La position de départ est la suivante : on s'allonge sur le dos, bien à plat, genoux repliés, mains aux hanches, tête reposant sur une petit coussin pour soutenir la nuque.
- Le mouvement consiste à, simultanément, redresser le buste, tête renversée mollement en arrière comme pour regarder le mur derrière soi, et à ramener les cuisses sur le ventre, comme si on voulait toucher le thorax avec les genoux, tout en maintenant le dos en grande partie décollé du sol.
- On doit contracter fortement les abdominaux, et expirer lentement.
- Après 6 secondes dans cette position, revenir doucement à la position de départ, dos plaqué au sol, pieds par terre et genoux repliés.
- Recommencer, avec des pauses intercalaires, au moins 6 fois, et plus si l'on ne ressent pas de fatigue.

Observation :

Il est indispensable de bien exécuter cet exercice dont la simplicité est assez trompeuse.

On veillera surtout à avoir la tête renversée en arrière mais sans contraction, faute de quoi, on réveillerait une vieille cervicalgie oubliée.

Exercice 26

Pour renforcer un muscle abdominal particulier, mais qui joue un grand rôle dans l'économie vertébrale en général, le muscle transverse :

c'est son relâchement ou son affaiblissement qui déclenche d'innombrables lombalgies "incompréhensibles".

• Position de travail : on se place debout devant une table ; jambes tendues, on incline le buste de manière à poser les mains en appui sur la table, coudes tendus.

• Le mouvement est quasi statique : on inspire profondément en gonflant le ventre ; on ferme la bouche, puis on expire lentement par la bouche, les joues gonflées (comme celles d'un joueur de trompette), les lèvres à peine entrouvertes pour ne laisser passer qu'un mince filet d'air (bouche en "cul de poule").

• L'expiration se fait à la fois en force et très lentement, pour la faire durer le plus longtemps possible sans éprouver de gêne. Dans cette forme spéciale de respiration, c'est le muscle transverse qui fournit le maximum de travail et non le diaphragme et les muscles respiratoires pectoraux.

Observation :

Exercice simple et efficace, il peut être réalisé par tout le monde. Le renforcement du transverse prévient la ptôse abdominale, et complète les exercices d'étirement recommandés contre les lombalgies.

On veillera toutefois à ne jamais forcer le mouvement d'expiration, surtout au début de l'entraînement.

Exercice 27

Pour renforcer les muscles de la nuque. La colonne cervicale est d'une grande fragilité ; de plus, les muscles qui la soutiennent sont assez fins, et s'affaiblissent assez rapidement par manque d'entretien.

D'autre part, les exercices dynamiques sur ces muscles sont contre-indiqués en raison des risques qu'ils comportent le plus souvent.

Voici donc un exercice statique, c'est-à-dire ne comportant pas de mouvements, qui peut les renforcer sensiblement si on le pratique avec régularité.

- Position de travail : on s'asseoit sur une chaise devant une table.

- Coudes bien appuyés sur la table, on pose le menton dans le creux des deux mains réunies.

- On effectue alors de fortes contractions des muscles au niveau du cou, comme si on veut forcer la tête à fléchir ; celle-ci ne doit pas bouger : les avant-bras bien calés sur la table l'en empêchent.

- L'effort de contraction ne doit pas dépasser 6 secondes.

- Relâcher l'effort pendant 10 secondes, puis recommencer 5 ou 6 fois.

Observation :

Comme tout ce qui touche à la colonne cervicale, il faut être ici très prudent. On doit arrêter l'exercice à la moindre sensation douloureuse pendant l'exercice ou après.

Cette réserve mise à part, le renforcement musculaire de la colonne cervicale, surtout si l'on s'y prend précocement, prévient l'arthrose de cette colonne et les cervicalgies de posture.

d) Comment établir son programme personnel d'entraînement ?

Les exercices que nous venons de décrire ont un double objectif :

- entretenir et consolider la musculature de soutien de la colonne vertébrale ;

- soulager et combattre certaines douleurs du dos.

On peut donc les utiliser de manière quotidienne comme une discipline de prévention, et ponctuellement comme un remède naturel contre le mal de dos.

Programme minimum quotidien

Un programme minimum quotidien d'entretien doit comporter au moins :

- 3 exercices d'assouplissement en début de séance,
- 4 exercices d'étirement,
- et 3 exercices de renforcement

Il faut varier ces exercices, ne pas exécuter toujours les mêmes. Toutefois, votre choix doit être dirigé dans certaines circonstances.

Par exemple, si vous êtes hypertonique et jeune, vous devrez privilégier surtout les exercices d'assouplissement et d'étirement qui vont détendre vos muscles.

Au contraire, si vous êtes plutôt hypotonique, accordez une place plus grande aux exercices de renforcement, sans négliger les autres pour autant.

L'exercice ponctuel

Les exercices peuvent aussi soulager certains maux de dos : c'est l'usage ponctuel.

Par exemple, vous souffrez d'une lombalgie diffuse : vous pouvez diminuer ou même supprimer la douleur en effectuant, en dehors des séances d'entretien quotidien, les exercices les plus efficaces contre les lombalgies.

Lorsque les douleurs auront cessé, vous devrez réorganiser votre programme d'entretien de manière à assouplir, étirer et renforcer plus particulièrement les muscles impliqués dans votre lombalgie.

Exercices en fonction de la localisation des douleurs

Voici la répartition des exercices en fonction de la localisation des douleurs dans les segments vertébraux (un même exercice peut convenir à plusieurs types de rachialgies) :

– Cervicalgies : exercices n° 1, 2, 7, 10, 11, 13, 15, 19, 22, 25 et 27.
– Dorsalgies : exercices n° 1, 2, 4, 8, 9, 10, 11, 12, 14, 15, 19, 22, 25.
– Lombalgies : exercices n° 1, 3, 4, 5, 6, 8, 9, 10, 12, 15, 16, 17, 18, 19, 21, 22, 23, 26.

Règle générale : une séance d'exercices dans un but curatif doit toujours comporter 2 exercices d'assouplissement, 2 d'étirement et 1 de renforcement, quand il y en a.

Par exemple, pour combattre une dorsalgie modérée, commencez par les exercices 4 et 9, poursuivez avec le 14 et le 19 et terminez par le 22.

Note importante : en cas de douleur aiguë (du type torticolis ou lumbago), le meilleur remède est le repos.

Si la douleur persiste après une bonne journée de repos complet, consulter un kinésithérapeute.

4è PARTIE

L'ARSENAL THÉRAPEUTIQUE POUR COMBATTRE LE MAL DE DOS

Le mal de dos n'est pas une fatalité

Nous ne sommes pas condamnés, dès notre naissance, à souffrir du dos toute ou partie de notre vie, épisodiquement ou de manière chronique. Déjà, en appliquant simplement le programme de prévention détaillé dans la 3è Partie, il est tout à fait possible d'éliminer plus des 2/3 des risques d'avoir mal au dos (en dehors des malformations et des grands processus pathologiques généraux, qui ne représentent d'ailleurs qu'une très faible proportion des maux de dos communs).

Nous ne sommes pas non plus désarmés lorsque le mal de dos est là, soit parce que nous n'avons pas su le prévenir, soit par suite d'un accident, ou tout autre cause.

Vous avez les moyens d'éliminer la souffrance

En fait, nous disposons d'un véritable arsenal thérapeutique - et il y aurait plutôt pléthore de moyens et de techniques que le contraire dans ce domaine ! Seulement, la nature humaine est très complexe. Telle méthode thérapeutique peut faire des miracles sur la maladie de tel individu, et se révéler totalement inefficace chez tel autre individu. De plus, certaines personnes préfèrent se soigner avec des moyens médicamenteux chimiques (allopathie) ; d'autres y répugnent et ne veulent utiliser que des méthodes naturelles douces (médecines alternatives).

L'essentiel, de notre point de vue, est l'élimination de la souffrance. Nous ne portons aucun jugement de valeur sur telle ou telle méthode thérapeutique (mis à part les méthodes charlatanesques qui se condamnent d'elles-mêmes).

Nous allons donc passer en revue les principales voies proposées pour combattre le mal de dos. À chacun de faire son choix et, éventuellement, d'essayer plusieurs moyens, jusqu'à tomber sur celui qui convient le mieux dans son cas personnel.

Le repos

C'est le traitement le plus simple, et souvent le plus efficace, sinon le seul recommandable, dans les crises aiguës du mal de dos (lumbago, torticolis, blocage articulaire, déchirement musculaire, etc.).

Ayez un bon lit

- Le repos forcé se fait au lit, notamment lorsque la douleur aiguë est localisée dans la région lombaire.
- La qualité de la literie est essentielle : sommier et matelas doivent être à la fois fermes et suffisamment souples pour permettre au

malade de trouver une position qui le soulage.

– Si la douleur intéresse la colonne cervicale, le
rôle de l'oreiller n'est pas moins capital : il
faut prévoir un oreiller spécial, type nucal,
pour atténuer au maximum les pressions sur
les vertèbres cervicales.

Parfois, le port d'une minerve est indispensable pour limiter les mouvements générateurs
de douleur de ce segment. Faute de quoi, on
aggraverait la maladie.

En général, la souffrance diminue d'intensité
ou disparaît complètement au bout de 2 ou 3
jours.

La chaleur et le froid

La chaleur est traditionnellement utilisée chez
soi pour combattre les courbatures, les contractures consécutives à des efforts musculaires ou
des coups de froid, les poussées douloureuses
d'origine arthrosique.

En effet, la chaleur active la circulation sanguine, ce qui permet d'accélérer l'élimination
des déchets et toxines ; elle combat l'inflammation et assouplit les fibres des muscles.

Pour obtenir   ⇨   – Le moyen le plus utilisé est la bouillotte rem-
de la chaleur   plie d'eau bouillie et chaude, que l'on
applique directement sur la région endolorie.

– On recourt aussi à l'air chaud délivré par un
sèche-cheveux. Ce système est recommandé
dans les lumbagos et torticolis bénins, secondaires à un refroidissement ; mais on évitera

le contact direct avec la peau, car il y a un risque de brûlure légère.

- Les lampes à infra-rouges ont avantageusement remplacé les braises de jadis. Mais là encore, il faut agir avec précaution.

- Une serviette trempée dans de l'eau chaude et essorée peut faire un enveloppement qui soulage les contractures, en particulier lorsque celles-ci sont localisées dans la région cervicale ; renouveler fréquemment, sans attendre que la serviette refroidisse.

Les cataplasmes

Les cataplasmes sont un autre moyen traditionnel d'une bonne efficacité lorsque la douleur est circonscrite à une petite zone vertébrale ou articulaire.

Les plus recommandés sont :

- Cataplasme de farine de lin :

  • Dans une casserole contenant une quantité d'eau suffisante que l'on chauffe à feu doux, on dilue 200 g ou plus de farine de lin.

  • Remuer sans cesse, jusqu'à l'obtention d'une pâte assez ferme.

  • Envelopper ensuite cette pâte, à laquelle on peut ajouter quelques gouttes d'huiles essentielles ou de poudre de camphre, dans une gaze et appliquer sur la zone douloureuse.

  • Le cataplasme ne doit jamais être brûlant.

  • On le retire dès qu'il commence à tiédir sans attendre qu'il refroidisse.

● Renouveler le cataplasme au besoin, sinon envelopper très chaudement avec un lainage ou tout autre tissu la partie que l'on vient de traiter.

> ATTENTION : Lorsque l'on traite la colonne cervicale, on pose toujours le cataplasme, quelle que soit sa composition, sur la nuque et jamais sur la gorge.

— Cataplasme de farine de moutarde ou sinapisme : même procédure que pour le cataplasme à la farine de lin. Le sinapisme est rubéfiant (la peau devient rouge), favorisant la circulation sanguine.

Il ne faut pas abuser de ce genre de cataplasme (1 application par jour, à l'extrême rigueur 2, jamais plus), car on peut provoquer des lésions de la peau.

— Le cataplasme de fécule de pomme de terre, que l'on confectionne de la même manière que ci-dessus, a des vertus anti-inflammatoires qui l'indiquent tout spécialement dans les poussées inflammatoires de l'arthrose.

— Le parafango, en vente dans les magasins spécialisés et certaines pharmacies, est un cataplasme à base de parafine et de boue, contenant des minéraux et des oligo-éléments.

Il est très fréquemment employé par les kinésithérapeutes, mais on peut l'utiliser chez soi aussi. Très pratique, il est réutilisable.

— Le cataplasme de feuilles de chou soulage re-

marquablement les contractures et les entor-
ses.

- On jette dans de l'eau bouillante et bien sa-
lée (avec une poignée de gros sel marin
brut) 4 ou 5 feuilles ou plus, selon l'éten-
due de la partie à traiter.

- On les laisse ramollir pendant 3 minutes,
puis on les retire et on égoutte.

- Attendre qu'elles ne soient plus brûlantes,
puis appliquer directement sur la peau.

- Pour maintenir en place, enrouler une flan-
nelle ou une serviette. Retirer dès que le
cataplasme tiédit.

On peut renouveler autant de fois que l'on
veut.

ATTENTION : Les feuilles ne doivent
pas cuire ; il faut les ramollir seulement
pendant 3 minutes.

**Le froid combat
aussi la douleur**

Le froid est un excellent moyen pour combattre les douleurs lors d'une crise inflammatoire
aiguë, d'un choc ou d'un traumatisme. En effet,
il provoque une forte vaso-constriction qui empêche l'épanchement du sang.

 – Traditionnellement, on utilise une vessie rem-
plie de glaçons ou de glace pilée que l'on
applique sur la zone douloureuse, dont la
peau doit toujours être protégée par une flan-
nelle ou une épaisseur de gaze.

– Depuis quelques années, on trouve dans le
commerce des bombes aérosols réfrigérantes,
beaucoup plus commode d'emploi. Ce sont

ces bombes que les soigneurs emploient sur les stades pour soulager les sportifs victimes d'un choc, d'un traumatisme ou d'un claquage.

> La blessure ne doit pas être ouverte.

Les moyens de maintien et de soutien de la colonne

Dans de nombreux cas, le traitement d'un mal de dos exige la mise au repos d'un segment de la colonne vertébrale. On doit recourir alors à un moyen physique qui immobilise ce segment, ou qui allège les pressions sur les disques et les articulations. On utilise donc des ceintures, des corsets souples ou rigides, des colliers, etc.

Les patients répugnent en général à porter ce genre d'objets, à la fois contraignants et parfois inesthétiques, il est vrai. Mais bien souvent, il n'y a pas d'autre alternative. En outre, ne vaut-il pas mieux utiliser un remède naturel, ne comportant aucun effet secondaire, plutôt que des médicaments chimiques dont l'inocuité n'est jamais absolue ? Alors, si le port d'une ceinture de soutien lombaire alourdit de quelques centimètres la silhouette, eh bien tant pis !

Les ceintures de soutien

Jadis, presque tous les travailleurs de force portaient une ceinture de soutien ou de contention lombaire : c'était la fameuse ceinture de flanelle ou le large ceinturon de cuir. Les accidents professionnels vertébraux et discaux étaient relativement rares, compte tenu de l'intensité des efforts et des poids qui comprimaient la colonne, en particulier le segment lombaire.

La disparition de ces ceintures de soutien et de contention a fait grimper en flèche le nombre des accidents du travail de nature vertébrale. On ne peut mieux souligner l'intérêt de ces ceintures, qui jouent un rôle préventif et curatif à la fois.

– D'autre part, les ceintures de soutien améliorent considérablement la tonicité et la souplesse des muscles lombaires et abdominaux, contrairement à ce que l'on croit souvent.

– Des études récentes ont montré qu'elles participaient aussi à la fonte des graisses abdominales.

– Enfin, leur port corrige en partie la ptôse abdominale.

Malgré tous ces avantages, il n'est évidemment pas question de conseiller à tout le monde de porter systématiquement une ceinture de contention lombaire. Mais les lombalgiques chroniques doivent savoir qu'ils peuvent améliorer leur qualité de vie grâce à ces moyens simples, dépourvus de toute nocivité.

Les types de ceintures

Il existe plusieurs types de ceintures :

– Les ceintures en laine un peu élastique sont recommandées aux personnes fragiles des lombaires, mais ne souffrant pas de lombalgies.

Elles sont destinées surtout à prévenir une lombalgie consécutivement à un coup de froid, notamment l'hiver.

– Les ceintures en coutil que l'on enroule autour de la taille, ont remplacé les fameuses ceintures de flanelle des zouaves et des maçons. Large de 18 cm, elles assurent un bon maintien des hanches et des vertèbres lombaires.

On les utilise dans les formes mineures de lumbago et les lombalgies de fatigue (après un long voyage, par exemple).

– Les ceintures de soutien sont destinées à soulager les articulations du bassin : celle qui unit L5 et S1, les sacro-iliaques, les hanches et la symphyse pubienne, particulièrement vulnérables.

Il existe un modèle dit de force (appelé ceinture discale), en cuir très souple et résistant, copié sur le modèle de la ceinture des haltérophiles. Confortable, elle est munie d'une fermeture spéciale qui permet d'y ajuster un coussinet en bultex, dont l'effet amortisseur est salutaire lorsque l'on voyage souvent sur de longs trajets, ou que l'on exerce une activité de force (agriculture, métiers du bâtiment, etc.), ou encore dans les travaux exigeant de longues stations debout.

Elle est également recommandée après la guérison d'une crise aiguë de lumbago et dans les lombalgies chroniques.

– Le lombostat est une ceinture renforcée, réalisée dans une résine spéciale (le polyuréthane), alors que précédemment on la fabriquait avec du plâtre.

Elle est indispensable pour soulager les douleurs lombaires aiguës, les sciatiques lombaires et l'arthrose lombaire à un stade avancé.

On en trouve plusieurs modèles dans le commerce, dont certains comportent des poches gonflables et ajustables (ce sont les meilleurs pour le confort et la sécurité).

Les corsets

Les corsets sont conçus pour obtenir une immobilisation et la mise au repos complet d'un segment vertébral gravement lésé à la suite d'un grand traumatisme, d'un choc très brutal ou d'une crise aiguë de lumbago ou d'une inflammation articulaire arthrosique. C'est leur rigidité qui leur confère leurs propriétés thérapeutiques.

Jadis fabriqués en plâtre, ils sont désormais réalisés avec des matières plastiques thermo-transformables ou des résines spéciales, ce qui en diminuent considérablement l'épaisseur, l'encombrement et la gêne.

Ce sont des moyens efficaces pour combattre la douleur vertébrale pendant les moments les plus pénibles. On peut difficilement envisager, en effet, le port d'un corset rigide à vie.

Les malades reculent souvent devant la perspective de se laisser corseter, mais il y a des circonstances où le médecin n'a pas d'autre choix. De toute manière, il faut savoir que les cas où le corset rigide est absolument indispensable (fractures vertébrales, ostéoporose avec tassements de vertèbres, spondylolisthésis, scoliose sénile...), sont relativement rares - et sur avis médical seulement.

– Pour corriger la scoliose grave de l'enfant et de l'adolescent, il existe un modèle de corset rigide renforcé avec une armature métallique. Son port, sous contrôle médical, associé à une rééducation fonctionnelle intensive, permet d'éviter l'intervention chirurgicale dans la majorité des cas. On ne doit donc pas l'écarter d'office, malgré les contraintes qu'il impose.

– L'orthèse est un corset spécialement étudié pour soulager les douleurs dans les hernies discales inopérables chirurgicalement.

Réalisé dans une matière plastique, il permet au disque de se cicatriser en interdisant les mouvements de flexion-extension et d'inclination latérale.

– On notera que les corsets rigides ne sont indiqués que pour le traitement des atteintes du segment lombaire. En effet, ils sont déconseillés, sauf cas particulier, pour les atteintes du segment dorsal, à cause de la compression qu'ils exercent sur la cage thoracique, et par conséquent, sur la respiration.

– Au demeurant, les dorsalgies hautes (au niveau du haut des omoplates) et moyennes (entre le bas des omoplates et le creux des reins) sont sensiblement soulagées par le port d'une minerve et/ou d'un corset lombaire.

Les colliers

S'agissant de la colonne cervicale, il existe 2 types de colliers.

1) Le collier souple en mousse permet de soulager les vertèbres cervicales dans le torticolis simple, les cervicalgies de posture, les poussées inflammatoire légères d'origine arthrosique et les névralgies brachiales.

Il est toujours prescrit par un spécialiste.

2) <u>Le collier rigide</u>, ou minerve, convient dans les cas de douleurs aiguës de la colonne cervicale : torticolis aigu, traumatismes, "coup du lapin", hernie discale, etc.

Son port n'est pas sans danger si le diamètre du collier n'est pas exactement adapté (risque de compression sur les gros vaisseaux sanguins du cou qui irriguent le cerveau).

Il faut qu'il soit mis en place par un spécialiste dont on suivra attentivement les instructions après la pose.

Les moyens de la médecine allopathique ou "académique"

Les facultés de médecine forment chaque année des milliers de spécialistes de la colonne vertébrale : ce sont les rhumatologues, dont le métier ne s'intéresse pas seulement aux vertèbres mais aussi à tout le squelette osseux en général. Ces médecins, formés sous le contrôle de l'État, possèdent des connaissances scientifiques positives qui les autorisent à traiter toutes les maladies, affections et autres troubles de la colonne.

C'est à eux que l'on devrait s'adresser en priorité lorsque l'on souffre d'un mal de dos. Ils maîtrisent des moyens d'investigation de plus en plus sophistiqués pour diagnostiquer la nature de l'affection, et des moyens thérapeutiques qui vont du plus simple médicament comme l'aspirine jusqu'à l'opération chirurgicale lourde.

a) L'imagerie médicale

Avant toute prescription, le rhumatologue cherche à déterminer exactement l'origine du trouble et sa nature. Pour ce faire, il a à sa disposition plusieurs moyens techniques :

La radiographie

La radiographie standard aux rayons X permet de visualiser sur des films en négatif l'état de la colonne vertébrale à un moment donné. Cependant, la "lecture", ou si on préfère l'interprétation clinique de cette image, est très délicate. Le même cliché peut être interprété différemment par un rhumatologue chevronné ayant plusieurs décennies d'expérience et son jeune confrère débutant. En outre, ce que peut révéler un cliché varie considérablement selon l'angle sous lequel il a été pris, la qualification professionnelle de l'opérateur, les qualités de l'appareil et des clichés, etc.

En fait, le recours à la radiographie ne se justifie que dans certaines circonstances : douleurs récidivantes localisées au même endroit de la colonne, choc ou traumatisme récent, risque d'arthrose ou d'ostéoporose lié à l'âge.

Il est parfaitement inutile de se faire radiographier le rachis parce que l'on a mal au dos après une mauvaise nuit, ou après avoir roulé sur l'autoroute des heures durant, sans s'arrêter : la radiographie ne montrera rien d'anormal !

Le scanner

Le scanner, appelé aussi tomodensitométrie computérisée, est un appareil beaucoup plus perfectionné que la radiographie aux rayons X.

Son principe est le suivant : lorsque l'on dirige un faisceau de rayons X sur une partie du corps, ses rayons traversent différemment les tissus selon leur densité et leur composition. Les tissus opposent donc une résistance différente selon leur nature. Ces nuances sont transmises à un ordinateur qui reconstitue l'image radiographiée dans toutes ses valeurs, en découpant l'organe examiné par tranches horizontales successives.

On obtient donc une image infiniment plus précise, permettant de voir "à l'intérieur" de l'organe les éventuelles anomalies ou lésions.

Dans le cadre du mal de dos, le recours au scanner ne doit pas être systématique. Il ne se justifie en fait que dans quelques cas particuliers où l'on soupçonne l'existence d'un rétrécissement des canaux ou encore, à l'occasion d'une sciatique rebelle à tout traitement médicamenteux.

L'I.R.M.

L'I. R. M. ou Image par Résonnance Magnétique, est la plus récente des techniques de l'imagerie médicale vertébrale. Elle est basée sur l'utilisation d'un puissant champ magnétique, auquel on soumet le corps du patient.

L'appareil capte les différences et les variations de la composition des tissus organiques, qui sont ensuite analysées et restituées sous forme d'une image en noir et blanc et surtout grise, par un puissant ordinateur. Le spécialiste interprète ces clichés.

Ce type d'examen est indiqué dans les cas

d'atteintes vertébrales sévères dont on ne parvient pas à déterminer la nature ou la localisation par les moyens habituels.

La discographie

La discographie consiste à injecter directement dans un disque un produit qui imprègne le noyau préférentiellement. On met ainsi en évidence l'existence ou non d'une fissure du noyau, et, le cas échéant, la rupture de l'anneau (hernie).

L'examen est réservé aux cas où l'on peut soupçonner une hernie discale.

La densiométrie osseuse

La densitométrie osseuse est basée sur l'étude de la capacité d'absorption d'un faisceau de photons par un os ou une partie osseuse donnés. Plus l'os est compact, dense, et sa teneur en minéraux élevée, moins il absorbe de photons. Inversement, lorsqu'il est "poreux", de faible densité, l'absorption est élevée.

Cet examen est surtout indiqué dans la recherche et la prévention de l'ostéoporose.

D'une manière générale, il faut retenir que la médecine moderne "académique" dispose d'instruments très performants pour explorer la colonne vertébrale et dépister toutes les anomalies osseuses ou nerveuses.

Cependant, il est déconseillé de recourir à tout bout de champ à ces techniques, qui ne sont d'ailleurs pas totalement inoffensives. On se fiera à son médecin traitant.

b) Les médicaments allopathiques

L'industrie pharmaceutique propose un vaste échantillon de préparations médicamenteuses destinées les unes à soulager la douleur, les autres à soigner la cause de la douleur. Cependant, un médicament chimique n'est jamais anodin. Son emploi doit être très précis, en quantité et dans la durée. Les effets secondaires indésirables sont très fréquents, parfois il y a des intolérances, voire des allergies. Il faut donc être très prudent.

Chez la femme enceinte, l'absorption d'un médicament quelconque ne doit se faire que sur prescription médicale stricte, surtout pendant les 3 premiers mois de la grossesse.

D'autre part, prendre plusieurs médicaments de nature différente dans la même journée peut être dangereux : les associations médicamenteuses peuvent provoquer des troubles graves, ou même très graves. On doit toujours demander l'avis du médecin, ou celui du pharmacien.

Il existe plusieurs familles de médicaments :

a) Les antalgiques ou antidouleurs et anti-inflammatoires

Ce sont les plus couramment consommés en médecine vertébrale ; on les classe en 2 grandes familles :

- les antalgiques anti-inflammatoires non stéroïdiens
- et les anti-inflammatoires stéroïdiens

1 - Les antalgiques anti-inflammatoires non stéroïdiens combattent simultanément la douleur et l'inflammation, et souvent la fièvre également. Il en existe de nombreuses spécialités dont les principales sont :

– La spécialité-type en est la célèbre aspirine, véritable bonne à tout faire de la pharmacopée moderne. Elle est efficace contre les douleurs d'intensité modérée et les inflammations non aiguës.

Toutefois, l'aspirine comporte des contre-indications en raison de ses effets secondaires. C'est au niveau de la muqueuse gastrique que l'acide acétylsalicylique (autre nom de l'aspirine) peut entraîner des troubles dans certaines conditions d'utilisation : consommée à forte dose pendant une longue durée, l'aspirine peut produire un ulcère de l'estomac, et dans les cas graves, des hémorragies gastriques.

D'autre part, elle est incompatible avec certains autres médicaments : les anticoagulants, certains anti-inflammatoires (non stéroïdiens), les antidiabétiques oraux et les anti-acide urique.

Certains sujets sont allergiques à l'aspirine et peuvent faire de violentes réactions (urticaire, œdème de Quincke) : dans ce cas la prise de l'aspirine est strictement interdite, surtout si on a fait un accident allergique dans le passé.

– L'indométacine possède des propriétés antalgiques plus puissantes que celles de l'aspirine ; mais elle est relativement plus toxique et elle est contre-indiquée dans plusieurs circonstances, notamment :

• ulcère gastro-duodénal

- hémophilie
- asthme bronchique
- grossesse
- insuffisance rénale ou hépatique, etc.

Elle ne doit être utilisée que sur prescription médicale.

– Le <u>paracétamol</u> est beaucoup mieux toléré par la muqueuse gastrique que l'aspirine, et est dépourvu d'action anticoagulante ; cependant, il n'agit pas sur les inflammations.

Il est contre-indiqué en cas d'insuffisance hépatique, d'alcoolisme chronique ou d'un antécédent allergique à ce médicament.

– La <u>noramidopyrine</u> a un pouvoir antalgique très puissant, mais est d'une toxicité redoutable : elle peut provoquer une agranulocytose mortelle.

Son usage doit être sous strict contrôle médical.

2 - Les anti-inflammatoires stéroïdiens sont des médicaments dérivés de la cortisone, une substance sécrétée naturellement par les glandes corticosurrénales. Ils ont de très puissantes propriétés pour combattre les inflammations et pour améliorer les défenses immunitaires en général. Cependant, ils sont d'un usage très délicat, en raison des nombreuses contre-indications et des effets secondaires sévères qu'ils peuvent entraîner.

Dans les affections de la colonne vertébrale, leur emploi ne se justifie qu'en cas de réel risque vital. De toute manière, leur délivrance est strictement soumise à l'ordonnance médicale. Le malade qui doit en utiliser devra se conformer absolument aux indications du médecin.

Il faut souligner que, en dépit des graves inconvénients des anti-inflammatoires stéroïdiens, leur apparition a permis de sauver des dizaines de milliers de vies.

b) Les décontracturants ou myorelaxants

Ce sont des médicaments dont l'action consiste à soulager ou éliminer les tensions musculaires ou contractures.

A priori, ils devraient être largement utilisés dans le traitement des maux de dos puisqu'une grande partie de ces douleurs dorsales sont produites par les contractures des muscles vertébraux. Ce n'est pourtant pas le cas.

En effet, les myorelaxants suppriment artificiellement la sensation douloureuse, mais masquent, ce faisant, la vraie cause de la douleur. Ainsi, lorsqu'une articulation vertébrale est bloquée, les muscles qui lui sont associés réagissent par des contractures douloureuses ; si on élimine cette dernière avec un myorelaxant, le blocage persistera et s'aggravera même : la douleur empêche un segment vertébral de faire des mouvements ou des gestes nocifs. Quand la douleur disparaît, le segment a naturellement tendance à faire ces gestes ou mouvements.

Donc, par un effet pervers, les décontracturants peuvent entretenir un véritable cercle vicieux dangereux : on fait disparaître la douleur pendant un certain temps, mais on n'en a pas supprimé la cause ; une fois l'effet relaxant retombé, la douleur redouble d'intensité car entre-temps, la cause primitive s'est aggravée. Et ainsi de suite.

C'est pourquoi, l'emploi des myorelaxants n'est préconisé que dans des circonstances bien précises où le médecin n'a pas beaucoup d'autres choix thérapeutiques.

Il faut noter, en outre, que les myorelaxants ont des effets secondaires, en particulier la somnolence, que l'ingestion d'alcool aggrave sérieusement avec des conséquences sur l'état de vigilance.

c) Les infiltrations

Ce terme qui angoisse tant de malades désigne, en réalité, un acte médical simple dans son principe et fort peu douloureux, les neuf dixièmes du temps. Il s'agit, en effet, d'une piqûre qui vise à injecter dans un endroit très précis - articulation, muscle, tendon, ligament - une substance médicamenteuse donnée.

Le but de l'opération est de délivrer directement dans la zone irritée une petite quantité du médicament approprié à l'affection ou au trouble. Ce faisant, on améliore considérablement l'efficacité du médicament, tout en évitant de faire absorber au malade des quantités plus importantes de cette substance (avec une efficacité moindre).

Le produit injecté est le plus souvent un anesthésique, parfois un mélange comprenant un dérivé de la cortisone et une quantité plus ou moins importante d'anesthésique.

Les infiltrations ne sont pratiquées que dans

un petit nombre de cas (lumbago, sciatique, torticolis aigus), et toujours par un médecin qualifié.

L'injection peut se faire de diverses façons :

– En "épidural", c'est-à-dire que l'on plante l'aiguille dans l'espace entre le canal osseux vertébral et l'enveloppe contenant le liquide céphalo-rachidien ;

– En interapophysaire ou interépineuse, entre les apophyses articulaires de 2 vertèbres (surtout lors des poussées inflammatoires d'une arthrose vertébrale) ;

– Par la voie de l'hiatus sacro-coccygien en injectant le produit dans le canal au-dessus du coccyx.

– Dans les cas sévères, l'infiltration se fait par voie intradurale : le produit, toujours un dérivé de la cortisone sans anesthésique, est injecté directement dans le liquide céphalo-rachidien. Ce type d'infiltration, assez rare, s'apparente à un acte chirurgical, et est toujours réalisé en milieu spécialisé (jamais au cabinet du praticien) ; le malade doit rester au lit 24 heures en observation.

Le succès des infiltrations dépend pour beaucoup de l'expérience et de l'habileté du praticien. Il faut, en effet, "viser" très précisément la zone-cible à traiter, ce qui n'est pas toujours évident (lorsque, par exemple, le malade est très gros).

Plus généralement, il est déconseillé de recourir trop fréquemment aux infiltrations. À la longue, les petites quantités de cortisone peuvent générer des effets secondaires indésirables.

d) Autres médicaments

– Les anti-arthrosiques sont des spécialités fabriquées à base de diverses substances : silice, iode, soufre, extraits de cartilage et de moelle osseuse, extraits de cartilage et de glande parathyroïde.

Le but thérapeutique est de freiner l'évolution dégénérative de l'arthrose, voire tenter de régénérer le cartilage articulaire. Les résultats sont assez aléatoires. En tout cas, employés seuls, sans traitements physiques de fond, leur efficacité est très réduite.

– Les anti-ostéoporoses consistent principalement en apports complémentaires de calcium, de phosphore, de fluor et de vitamine D.

Le meilleur traitement reste le traitement hormonal lorsqu'il est prescrit précocement (2 ou 3 ans après la ménopause).

Tout récemment (1996) des équipes de chercheurs françaises et américaines ont tenté avec un certain succès (qui demande à être confirmé sur une plus grande échelle) un nouveau traitement de l'ostéoporose : il consiste en l'injection d'une substance synthétique dans les corps vertébraux lésés. Cette substance se solidifie dans les interstices de la trame osseuse à laquelle elle redonne ainsi une plus grande densité, ce qui évite les tassements.

La chirurgie vertébrale

Toute opération chirurgicale de la colonne

vertébrale est un acte grave, comportant des risques sévères. Aussi faut-il la considérer comme la solution de la dernière chance, la solution inévitable.

Mais avant de s'y résoudre, il est recommandé de consulter plusieurs spécialistes et de voir avec eux s'il n'est pas possible d'éviter de "passer sur le billard". Si tous les avis concordent, et que tous les autres moyens thérapeutiques sont épuisés, alors il n'y a plus rien d'autre à faire.

Les cas d'intervention

De ce fait, les cas où la voie chirurgicale s'impose sont limités :

– Existence d'une hernie discale volumineuse qui comprime un ou plusieurs nerfs rachidiens dans le segment cervical ou lombaire ;

– Fractures ou luxations sévères ;

– Compression de la moelle épinière ou de la queue de cheval, entraînant d'importants troubles neurologiques (douleurs et paralysies des membres inférieurs, troubles des sphincters, troubles de la sphère génitale...) ;

– Spondylolisthésis instable et/ou douloureux chez l'adulte actif de 40-50 ans, et seulement après une exploration radiologique complète au scanner et à l'I.R.M. ;

– Scoliose à grande angulation chez le sujet jeune et l'adulte actif de moins de 60 ans ;

– État douloureux de très grande intensité (douleurs intolérables) qui résiste à tous les traitements médicamenteux ou autres.

Des techniques différentes

– La chirurgie vertébrale utilise les techniques chirurgicales classiques (identiques à celles utilisées pour les opérations d'autres régions ou organes).

– Plus récemment, est apparue la microchirurgie qui s'effectue sous contrôle optique avec un grossissement (2,5 à 4) du segment à opérer ; l'incision est très limitée. En outre, les risques de fibrose épidurale postopératoire sont beaucoup plus restreints.

Cette technique est principalement indiquée dans l'ablation des hernies discales.

– La nucléotomie percutanée, inventée par le Japonais Hijikata en 1975, consiste à retirer une partie du noyau d'un disque présentant une hernie ; on obtient ainsi une décompression du disque et de la hernie (sans enlever celle-ci, comme on le fait en chirurgie classique ou en microchirurgie). En diminuant la compression discale, on diminue considérablement l'effet agressif de la hernie sur les racines nerveuses.

– Les arthrodèses ou greffes vertébrales sont destinées à fixer un segment vertébral responsable d'un compression très douloureuse. Il existe plusieurs techniques, dont celle de la greffe osseuse.

Les indications de l'arthrodèse sont très limitées.

Les méthodes thérapeutiques parachirurgicales

Ce sont des techniques qui sont toujours mises en œuvre par un chirurgien. Les principales sont :

La nucléolyse

La nucléolyse consiste à injecter dans un disque responsable de douleurs intenses, une substance qui va littéralement le "décomposer". Cette substance est un enzyme, la papaïne, extrait du papayer, un arbre d'Amérique centrale.

Des chercheurs américains avaient remarqué dans les années 50, que cet enzyme avait une étonnante propriété : injecté dans l'oreille d'un lapin, il détruisait le cartilage du pavillon. L'idée d'injecter l'enzyme en question dans un disque vertébral malade pour le détruire était née. On pouvait éliminer une hernie discale sans passer par une opération chirurgicale classique ou par la microchirurgie.

La méthode a prouvé une assez bonne efficacité. Toutefois, c'est loin d'être la panacée. En effet, les incidents de type allergique ou de type infectieux sont relativement fréquents. Certains spécialistes hésitent à y recourir.

De toute manière, les indications sont limitées au traitement des sciatiques et des cruralgies très douloureuses, secondaires à une hernie discale.

Prendre plusieurs avis avant de décider de faire appel à la nucléolyse.

La rhizolyse

La rhizolyse ou électrocoagulation percutanée est un procédé qui vise à détruire les petites ramifications nerveuses qui entourent une articulation et sont responsables des douleurs. Pour cela, on introduit une aiguille dans l'articulation, sous un contrôle télévisuel ; l'aiguille produit une chaleur de l'ordre de 80°, suffisante pour cautériser les ramifications nerveuses. Le patient ne subit pas d'anesthésie générale.

La rhizolyse, qui ne fait pas l'unanimité parmi les spécialistes, ne devrait être envisagée qu'après un échec de moyens thérapeutiques moins traumatisants (comme les manipulations ou les infiltrations).

Les manipulations

Un grand nombre de rachialgies a pour origine un problème mécanique d'une ou de plusieurs articulations vertébrales : blocage, glissement, déplacement, etc.

En général, le fait de mettre au repos le segment douloureux avec divers moyens (anti-douleurs, corsets, ceintures...) permet à la colonne de retrouver son état normal. Mais il arrive aussi que, une fois la crise passée, des séquelles subsistent qui réveilleront la douleur à la moindre occasion, car la cause du trouble est toujours là. C'est précisément la suppression des séquelles et de la cause initiale que peuvent permettre les manipulations.

Méfiez-vous des charlatans !

Mais attention ! Il y a malheureusement de très nombreux charlatans et autres rebouteux moyen-âgeux qui exploitent la crédulité publique. Ces individus sans scrupules occasionnent, par leurs manipulations incontrôlées, des dégats à la colonne vertébrale beaucoup plus graves que la gêne douloureuse qu'ils prétendent guérir.

Si vous pensez qu'une série de manipulations bien maîtrisées sont de nature à vous soulager, alors soyez très fermes : votre manipulateur doit être un médecin diplômé officiellement d'une faculté de médecine, de préférence un rhumatologue. C'est d'ailleurs lui qui vous conseillera judicieusement dans le choix d'une thérapeutique.

D'ailleurs il ne vous manipulera jamais sans avoir au préalable examiné attentivement des radiographies récentes de votre rachis. Ce point doit vous servir de repère pour savoir à qui vous avez affaire !

Ne confiez jamais votre colonne au premier venu, même et surtout si c'est par la rumeur publique que vous connaissez son nom, ou si on vous a juré qu'il fait des miracles, qu'il a guéri le cousin du voisin de votre belle-sœur ! Vous prendriez un risque énorme et parfaitement idiot.

Les manipulations pratiquées par un médecin

Donc, les manipulations, lorsqu'elles sont effectuées par un homme de l'art expérimenté, et encore une fois médecin de formation, peuvent soulager et même faire disparaître de nombreux cas de rachialgies. En particulier :

- les cervicalgies et le torticolis ;
- les dorsalgies rebelles liées à une activité professionnelle (travail assis, notamment) ;
- les lombalgies insensibles aux antalgiques et récidivantes, et les lumbagos ;
- certaines névralgies en rapport avec la colonne vertébrale : cruralgies, sciatiques, douleurs cervico-brachiales ou intercostales.

L'ostéopathie

L'ostéopathie est une méthode manuelle, assez voisine des manipulations médicales, conçue par l'Américain Taylor Still au siècle dernier. Elle s'intéresse à la colonne vertébrale, mais aussi aux organes et aux viscères, sous un éclairage bio-mécanique.

Les principes de l'ostéopathie

Elle repose sur plusieurs principes :

– Toute perturbation d'une structure mécanique de l'organisme, comme les vertèbres, peut engendrer des troubles dans le territoire d'innervation y correspondant : "La structure gouverne la fonction".

– Une perturbation mécanique peut engendrer des troubles à distance.

– Le corps peut s'auto-guérir lorsque les structures mécaniques retrouvent leur état normal et leurs mouvements.

– La circulation sanguine et lymphatique jouent un rôle essentiel dans les processus inflammatoires et dégénératifs, qui sont ou retardés, ou atténués lorsque cette circulation est normale.

Comme on le voit, l'ostéopathie a une approche globale de l'organisme, un peu à l'image des doctrines médicales asiatiques.

Il existe de nombreux praticiens ostéopathes, les uns de formation médicale classique, les autres formés dans des centres spécialisés. Bien entendu, il est toujours préférable de s'adresser à un vrai médecin maîtrisant bien les techniques ostéopathiques.

Ostéopathie et lombalgies rebelles

L'ostéopathie peut soulager la plupart des rachialgies bénignes, c'est-à-dire les plus fréquentes, et notamment les lombalgies rebelles aux antalgiques.

Elle est contre-indiquée dans les états morbides graves, les maladies infectieuses, les troubles nerveux.

La chiropractie

Autre méthode née aux Etats-Unis il y a un siècle, la chiropractie procède par des manipulations directes de la colonne vertébrale et des membres supérieurs et inférieurs.

Certes, les gestes du chiropracteur sont codifiés. Mais les accidents ne sont pas rares. L'efficacité et l'inocuité de cette méthode dépendent pour l'essentiel de l'expérience et du doigté du praticien.

On la contre-indique aux enfants et adolescents, aux personnes dont les os sont fragiles, aux personnes âgées et aux sujets très émotifs.

À envisager avec la plus grande prudence.

La kinésithérapie et la rééducation fonctionnelle

La kinésithérapie utilise diverses méthodes de mouvements et de massages, dans le but de soulager les douleurs du dos, de rééduquer la musculature dorsale et abdominale et de participer à la rectification dynamique des mauvaises attitudes et postures.

En principe, on s'adresse au kinésithérapeute une fois que le rhumatologue a terminé son traitement avec succès.

La rééducation

La rééducation se propose de redonner à un

dos douloureux sa liberté de mouvement que la souffrance lui a fait perdre. Elle consiste à renforcer les points faibles du système vertébral dans son ensemble ; les muscles dorsaux, abdominaux et fessiers réapprennent à travailler ensemble harmonieusement, ce qui assure une répartition optimale des pressions sur les différents segments vertébraux. Les muscles des cuisses et des jambes sont également rééduqués de manière à offrir un soubassement parfaitement stable et solide à la colonne.

La méthode consiste en divers mouvements étudiés dans le moindre détail pour atteindre l'objectif d'un retour à l'équilibre fonctionnel. Une bonne rééducation ne doit jamais provoquer, ni pendant ni après la séance, la moindre douleur vertébrale.

La kinésithérapie

La kinésithérapie et la rééducation ne sont pas, loin s'en faut, la panacée contre le mal de dos. En fait, les cas où elles sont véritablement nécessaires sont assez peu nombreux, surtout dans les douleurs d'origine mécanique. Pour beaucoup de spécialistes, la prescription à tort et à travers de 40 séances de kinésithérapie est une pure aberration !

Les massages, souvent mis en œuvre par le kinésithérapeute, apportent incontestablement un soulagement musculaire dans la plupart des souffrances du dos. Encore faut-il qu'ils soient pratiqués par un praticien bien formé et expérimenté, ce qui n'est pas hélas le cas général.

Au contraire, la maîtrise du geste technique du massage semble se perdre. D'ailleurs, technique exclusivement manuelle (c'est-à-dire n'utilisant que les mains) dans son principe même, le massage moderne a de plus en plus recours à un appareillage étonnamment varié et divers : moxa, boules de bois, vibromasseurs, aiguilles en faisceau, jets d'eau ou d'air, appareils électriques ou piézo-électriques, etc. Or, rien ne peut remplacer la sensibilité incomparable de la main et de la pulpe des doigts pour sentir un muscle, sa dureté, sa rétraction éventuelle, localiser très précisément un point douloureux.

Les massages

Il existe d'innombrables techniques de massage, les unes aussi vieilles que l'humanité, les autres mises au point au cours des dernières décennies.

Sans entrer dans le détail, soulignons simplement qu'il ne suffit pas de frotter, de pincer, de pétrir, de flageller avec le tranchant de la main, etc., un muscle pour faire un bon massage. Sachez que le massage lent et doux a des effets décontracturants, alors que vigoureux et rapide, il tonifie et active la circulation sanguine, et que fort et long, il occasionne des irritations

Pour le massage que l'on fait chez soi sur des proches, il est préférable de toujours agir doucement et lentement, sans s'acharner pendant des heures (au maximum, une 1/2 heure suffit).

L'eau au secours du dos

L'eau est un allié précieux de la colonne vertébrale à plusieurs titres. On peut le vérifier quotidiennement, soit :

- nous ressentons un immense bienfait pendant et après une bonne douche ou un bain ;
- nos muscles se décontractent ;
- les tensions vertébrales diminuent ;
- on se sent mieux après une dure journée de travail, avec son stress et autres agressions.

À la piscine, une demi-heure de nage en douceur nous apporte un soulagement nerveux et musculaire immédiat et durable. Alors, il ne faut pas hésiter à solliciter cette amie qui ne veut que du bien à notre dos.

Les usages thérapeutiques de l'eau sont principalement les cures thermales, la balnéoclimatothérapie et la thalassothérapie.

a) Les cures thermales

Pour des raisons aussi obscures qu'injustifiées, les cures thermales ont mauvaise presse de nos jours. On les associe à l'image du couple de vieillards chenus courbés sur leurs cannes, dans un paysage morne et triste. Or, les études scientifiques les plus rigoureuses ont démontré que dans un grand nombre de cas pathologiques, et notamment ceux relevant de la rhumatologie, la cure thermale apporte une amélioration très satisfaisante de l'état général, parfois un net recul de la maladie.

Leurs vertus curatives

Du reste, même si l'on persiste à nier les vertus curatives de certaines eaux thermales, il y a les conditions objectives qui entourent la cure thermale et expliquent, en partie, leurs effets si bénéfiques :

– Les cures se déroulent dans un cadre médica-

lisé qui assure un suivi médical et une surveillance (y compris alimentaire) de nature à
rendre la vie du curiste beaucoup plus saine
et équilibrée.

— La période de cures (en général 3 semaines)
est une période de repos impossible à envisager dans son cadre habituel ; le repos n'est-il
pas un moyen "thérapeutique" naturel pour
combattre le mal de dos en général ?

— La cure coupe le malade de son cadre habituel : son stress baisse très sensiblement.
Dans certains cas, le seul fait de vivre loin
des soucis et des tracas quotidiens a un effet
salutaire sur l'état général.

Maintenant, il y a aussi l'action thérapeutique
incontestable des eaux thermales, qui varie selon
leur composition chimique et minéralogique.

Bien entendu, il ne s'agit pas de prétendre
qu'une cure à Aix-les-Bains, par exemple, va
vous guérir de votre arthrose. Mais s'ajoutant
aux autres traitements médicaux, la cure amélio-
rera l'efficacité de ces traitements et participera
directement au soulagement des douleurs par le
biais des bains et autres méthodes de soins dispensés dans l'établissement thermal par un personnel particulièrement compétent. Nous ne
pouvons que vous inciter à essayer au moins une
fois : vous verrez bien les résultats.

Les stations thermales les plus connues

La France est riche en stations thermales in-
diquées dans le traitement des affections vertébrales en général et de l'arthrose, en particulier.

Les plus célèbres sont : Aix-les-Bains, Amélie-les-Bains, Bagnères-de-Bigorre, Barbotan, Bourbon-l'Archambault, Chateauneuf-les-Bains, Gréoux, Lamalou, etc.

Pour une liste détaillée, se renseigner auprès du Syndicat National des Établissements Thermaux : 10, rue Clément-Marot, 75008 Paris. Tél. 01.47.20.45.25.

b) La balnéo-climatothérapie

La balnéoclimatothérapie fait appel aux vertus thérapeutiques du climat local et des eaux ou boues chargées de divers minéraux propres à certaines stations.

Très recherchées en Europe de l'Est, les cures dans ces stations ont des effets bénéfiques indiscutables sur les affections vertébrales.

Malheureusement, en France, les établissements de ce type, offrant des traitements spécialisés, sont rares.

c) La thalasso-thérapie

Elle connaît un essor certain depuis quelques années en France.

Les traitements qui sont dispensés dans les stations associent les bienfaits de l'eau de mer et des algues à la kinésithérapie, les massages et la rééducation. Ils sont indiqués dans la plupart des affections vertébrales. De plus, l'encadrement médical et paramédical est d'une grande qualité.

Pour plus de détail, se renseigner à : Guide de la Thalassothérapie, 50, avenue Foch, 75016 Paris. Tél. 01.45.00.41.04.

Les thérapeutiques alternatives ou "douces"

Il existe d'innombrables méthodes et techniques non scientifiques, couramment utilisées pour soulager certains maux de dos. Ces méthodes et ces techniques n'ont pas la fiabilité ni, parfois, la sécurité des thérapeutiques plus classiques.

Toutefois, on doit convenir que, en dépit de leur côté un peu ésotérique, elles donnent des résultats assez étonnants, voire spectaculaires dans certaines conditions. Tout dépend, en effet, de l'habileté du praticien et du degré de confiance que lui accorde le patient.

La même méthode peut soulager miraculeusement tel malade et se révéler totalement inefficace ou aggravante chez tel autre. Si on y recours avec prudence, pourquoi ne pas essayer, surtout lorsque les thérapeutiques classiques n'apportent pas d'amélioration ?

Une réserve : il faut respecter les contre-indications, lorsqu'il en existe, dans tous les cas.

L'acupuncture

C'est la médecine traditionnelle chinoise, pratiquée depuis des millénaires en Extrême-Orient, introduite en Occident beaucoup plus récemment. Tout le monde en connaît la technique et le principe : en piquant avec des aiguilles certains points très précis du corps, on active ou on ralentit la circulation de l'énergie vitale (yin et yang), qui s'effectue selon des trajets, les méridiens, bien connus du praticiens.

L'acupuncture a l'ambition de traiter toutes les maladies dont peut souffrir un être humain, ambition quelque peu démesurée, il faut le dire clairement.

Que peut cette médecine chinoise dans le mal de dos ?

Il faut d'abord trouver un praticien expérimenté et compétent, et ce n'est pas si fréquent. Les acupuncteurs de formation médicale classique, de loin les plus recommandables, sont encore plus rares.

L'acupuncture peut soulager le mal de dos de manière extraordinaire dans des circonstances précises : lorsque la douleur vertébrale est provoquée par une très forte contracture musculaire, mais où la cause mécanique du trouble (blocage articulaire, déplacement vertébral, etc.) est mineure.

À l'inverse, si la cause mécanique est très importante, les piqûres d'aiguilles ne soulageront que faiblement et passagèrement. Dans ce dernier cas, le mieux est encore de traiter la cause avec des moyens classiques, puis de recourir à l'acupuncteur pour compléter le traitement.

Quoi qu'on en dise, l'acupuncture ne peut pas guérir une arthrose, une hernie discale ou tout autre grande pathologie vertébrale. On perdrait un temps précieux, avec de sérieux risques d'aggravation voire d'irréversibilité de la maladie, si l'on s'acharne à vouloir être guéri seulement par l'acupuncture.

La mésothérapie

Imaginée par le Dr Pistor, cette technique consiste à injecter au niveau épidermique des médicaments dans la zone à traiter. Les aiguilles très fines utilisées permettent de faire de multiples micro-injections.

En principe, cette méthode autorise l'emploi

de faibles quantités de substances médicamenteuses avec un maximum d'efficacité. Mais cela n'est pas toujours vrai : suivant la densité de la vascularité de la zone à traiter, une partie plus ou moins importante du médicament injecté sera perdue, entraînée au loin par le flux sanguin. Cependant, cette technique peut être recommandée dans certains cas : lorsqu'un malade ne peut prendre un médicament (en particulier les antalgiques et les anti-inflammatoires) par voie interne (orale) à cause des effets secondaires indésirables, les micro-injections du même médicament sous la forme injectable permettent de soulager le malade en évitant de l'exposer aux effets nocifs.

Il faut noter que les injections de produits dérivés de la cortisone sont strictement interdites en mésothérapie.

Un traitement complémentaire

Naturellement, comme on vient de le voir, la mésothérapie ne soigne pas une affection vertébrale ; c'est un traitement complémentaire du traitement de base qui s'attaque à la cause du mal.

L'électrothérapie

Très prisée dans les années 30, l'électrothérapie a connu une longue éclipse avant de revenir à la mode ces dernières années. Les soigneurs sportifs y recourent souvent, même un peu trop fréquemment au détriment de la santé des athlètes. Il est vrai, cependant, que l'on a mis au point des appareils beaucoup plus efficaces et d'utilisation sûre que ceux de jadis.

La méthode consiste à déliver des courants

électriques que l'on applique sur une zone douloureuse. On obtient des effets décontractants sur les muscles et les ligaments, qui atténuent ou font disparaître la douleur pendant un certain temps.

Méthode utile dans une pathologie légère

La méthode peut être utile dans la pathologie vertébrale légère, lorsque les traitements classiques se révèlent inefficaces ou qu'ils sont contre-indiqués. L'efficacité dépend en large partie de la qualification de l'opérateur. En aucun cas, cependant, l'électrothérapie ne peut constituer un traitement de fond pour guérir une affection vertébrale.

Un mot encore : méfiez-vous des publicités mensongères qui vantent les pouvoirs miraculeux de certains appareils à utiliser chez soi ; le seul miracle dont ces appareils soient capables est l'enrichissement des escrocs qui les ont imaginés !

La phytothérapie

Depuis la plus lointaine antiquité, les hommes se sont soignés avec des plantes. Le règne végétal est tellement riche et varié que l'on y trouve des principes actifs capables de soulager ou de guérir un grand nombre de maladies.

Saviez-vous que 2 médicaments pharmaceutiques sur 3 sont d'origine végétale ? Après avoir identifié la substance active, en général une molécule, les chimistes et les biochimistes les synthétisent dans leurs laboratoires ; fortement concentrée, cette substance possède alors un pouvoir et des propriétés infiniment supérieurs à ceux présents dans la plante.

Privilégiez l'état naturel

Les plantes sont donc utilisées dans un but curatif sous diverses formes traditionnelles : décoctions, tisanes, poudres, teintures, huiles, onguents, etc. Ces usages traditionnels restent en vogue.

Attention, cependant, si vous achetez des plantes à l'état naturel : vérifiez bien qu'il s'agit de plantes "sauvages", ou cultivées selon les méthodes biologiques - c'est-à-dire sans emploi d'engrais, de pesticides ou d'herbicides chimiques. Comme il est souvent difficile de contrôler l'origine et le mode de culture, on préférera les gélules de poudre de plante entière, fabriquées par des laboratoires sérieux et soumis à un contrôle strict de l'autorité publique. De plus, les gélules sont beaucoup plus pratiques d'emploi et plus actives.

Quelles plantes utiliser ?

Les substances contenues dans les plantes agissent de diverses manières. S'agissant de la pathologie vertébrale, celles qui sont recommandées sont ou drainantes (les diurétiques), ou dépuratives, ou antalgiques, ou décontractantes ou encore anti-inflammatoires, suivant le mode d'emploi (tisanes, décoctions, pommades, onguents, etc.).

Voici les meilleures plantes que l'on peut utiliser contre le mal de dos :

- l'ortie, le cassis, la reine-des-prés, la prêle, le saule blanc (qui contient de l'acide acétylsalicyilique), la griffe du diable, le bambou, le frêne, la bardane, l'alkékenge, etc.

L'aromathérapie

L'aromathérapie utilise les essences, les huiles essentielles et les résines de certaines plantes, que l'on extrait selon diverses techniques.

Ces produits possèdent des propriétés curatives (anti-inflammatoires, antalgiques) intéressantes pour le traitement du mal de dos banal. Ils activent la circulation sanguine et revitalisent l'organisme en général.

Mode d'emploi

On peut les utiliser purs ou incorporés à d'autres substances, en baumes, cataplasmes, bains, massages, etc

Les huiles essentielles les plus actives contre les douleurs du dos sont :

- camomille, bouleau jaune, citronnelle, gaulthérie, eucalyptus (citronné), copaïba,...

L'homéopathie

Discipline née au siècle dernier, longtemps reléguée au rang des médecines un peu folkloriques et inefficaces, l'homéopathie connaît un regain d'intérêt tant auprès du public que d'une bonne partie du corps médical. Elle est même enseignée dans certaines facultés de médecine.

Les médicaments homéopathiques sont composés de substances extraites des végétaux, des minéraux et des animaux. Ces substances sont diluées à des doses infinitésimales.

Cependant, l'efficacité d'un traitement homéopathique dépend pour beaucoup de l'expérience du praticien (de préférence médecin de formation) : il faut non seulement bien déterminer le terrain du malade, mais encore doser parfaitement les médicaments selon chaque cas.

Les prescriptions les plus courantes

Les remèdes homéopathiques les plus souvent prescrits sont :

- Actea rasemota, Dulcamara : pour les douleurs de la colonne cervicale.
- Agaricus, Oxalic acidum, Kalium bichromicum : pour les dorsalgies.
- Arnica, Ruta graveolesn, Berberis vulgaris : pour les lombalgies.
- Chamomilla, Colocynthis, Bryonia, Hypericum, Kalmia latifolia, Doscorea, Gelsemium : pour les névralgies (sciatique, cruralgie, cervico-brachialgie).

L'organothérapie

L'organothérapie, méthode inspirée de l'homéopathie, utilise des extraits organiques dynamisés et dilués.

Pour ralentir l'arthrose et favoriser la régénérescence de l'os et des cartilages, on préconise la formule suivante :

- Meduloss 4CH, Cartilo 4CH, Artères, Veines, Capillaires 7CH (en suppositoire ou en ampoule).

Les sels minéraux et les oligo-éléments

Les sels minéraux et les oligo-éléments jouent un rôle vital dans la vie de tous les organismes. Ils sont normalement présents en quantités suffisantes pour satisfaire les besoins dans une alimentation bien équilibrée. Mais il est très fréquent qu'il y ait des carences en tel ou tel élément, pour des raisons diverses : aliments dénaturés, maladies du tube digestif avec malabsorption intestinale, alimentation insuffisante, etc.

Ces nutriments n'ont pas en eux-mêmes des propriétés médicales. Mais leur absence ou leur carence entraîne toujours des troubles parfois sévères. C'est pourquoi, il est nécessaire de complémenter l'alimentation ordinaire par des apports supplémentaires.

On trouve dans le commerce des "coktails" minéralo-vitaminiques bien dosés et équilibrés. Sauf contre-indication, en particulier dans certaines affections digestives et/ou urinaires, on peut et parfois on doit recourir à ces préparations pour reminéraliser l'organisme.

Demander conseil au médecin traitant ou au pharmacien.

Vitaminothérapie

Les vitamines sont aussi indispensables au fonctionnement de l'organisme que les minéraux et les oligo-éléments.

Normalement, notre alimentation ordinaire nous fournit en quantités suffisantes toutes les vitamines dont nous avons besoin. Mais là encore, les carences sont fréquentes.

Les personnes qui souffrent du dos doivent veiller à compléter leur alimentation par des apports de vitamines A, C, D, E, et P.

Il existe de très nombreuses spécialités pharmaceutiques proposant des coktails vitaminiques ou minéralo-vitaminiques de complémentation.

Consulter le pharmacien ou le médecin traitant.

L'argilothérapie

L'argile est formée par la décomposition de

roches (feldspaths) très riches en silice, aluminium, calcium, sodium, potassium, titane, et en moindre quantité fer et magnésium. Cette composition lui confère des propriétés médicinales incontestables.

Pour les affections vertébrales, douleurs articulaires et musculaires peuvent être bien soulagées par des cataplasmes froids, tièdes ou chauds d'argile. On en trouve dans le commerce, prêts à l'emploi.

Bien suivre les indications du mode d'emploi.

Ne jamais appliquer sur les plaies et autres lésions de la peau.

Les méthodes de relaxation

Le mal de dos banal est, nous l'avons dit, le plus souvent provoqué par des contractures musculaires ou aponévrotiques. Or, ces contractures sont, dans bien des cas, consécutives au stress, à l'anxiété.

Si on combat le stress, on décontracte la musculature et l'on allège les pressions qui s'exercent sur les vertèbres. Mais il ne faut pas trop se faire d'illusion. La simple relaxation musculaire ne suffit pas à faire disparaître définitivement le mal de dos. Cependant, en complément à un traitement classique, elle améliore très sensiblement l'efficacité de celui.

Des techniques variées

Il existe de très nombreuses techniques de relaxation : training autogène de Schultz, suggestopédie, hypnose et auto-hypnose, yoga, etc.

Les centres où l'on dispense des cours de relaxation se sont multipliés ces dernières années.

On y enseigne toutes les méthodes possibles et imaginables. Le choix est donc très ouvert.

Une précaution importante toutefois : si vous souffrez de manière chronique du mal de dos, demandez l'avis de votre médecin traitant ; il peut y avoir contre-indication pour un arthrosique qui voudrait faire du yoga.

Index

A

Absorptiométrie biphotonique : 109.
Accouchement : 33, 151, 156.
    Normal : 150.
    Rééducation : 66.
    Sans douleur : 152.
Actine (filaments d') : 44.
Activité physique/sportive : 169, 197, 204, 261, 318.
    Voir aussi Exercices physiques.
Acupuncture : 380-381.
Adrénaline : 87.
Affection vertébrale silencieuse : 280.
Agranulocytose : 363.
Alcoolisme chronique : 363.
Alimentation : 171-172, 196, 198, 214, 386.
    Dénaturée : 15.
    Irrégulière : 176.
    Rééquilibrer l' : 174.
    Rôle : 204.
Allopathie : 347.
Aluminium : 388.
Amaigrissement : 102.
Analgésie : 81.
Angoisse : 86, 140.
    Voir aussi Stress.
Antalgiques : 209, 249, 361, 382, 384-385.
Anti-inflammatoires : 209, 361, 363, 382, 384-385.
Antibiotiques : 102.
Anxiété
    Voir Stress.
Aponévrose lombaire : 48.

Apophyse
    Articulaire : 366.
    Épineuse : 26, 29-31, 41, 48, 71, 126, 274.
    Transverse : 24, 32, 41, 54.
Appendice xyphoïde : 52.
Arachnoïde : 75.
Arc vertébral postérieur : 24.
Argilothérapie : 387.
Arlaud (Dr) : 330.
Aromathérapie : 385.
Arrachement de tendons : 81.
Arrachement tendineux : 46.
Arthrite : 15, 93, 99, 112, 136.
Arthrodèses : 369.
Arthrose : 15, 71, 83, 93, 96-98, 112, 134, 136, 208, 230-231, 275, 282, 340, 350, 3358, 367, 378, 381, 386.
    Cervicale : 28, 97, 277.
    Corps vertébraux : 97.
    Hanche : 97.
    Lombaire : 200, 355.
    Lombo-sacrée : 126, 128.
    Prématurée : 189.
    Primitive : 97.
    Secondaire : 97.
    Vertébrale : 366.
Articulation
    Dégénérescence précoce : 243.
    Entretenir : 270.
    Fémuro-iliaque : 54.
    Lombo-sacrée : 274.
    Sacro-iliaque : 101.

B

C

D

H

I

J

Jambe courte
  Déformation : 119-121.
  Fausse : 166.
  Vraie : 176, 186.

Jogging : 264.

K

Kinésithérapeute : 268, 343, 350.

Kinésithérapie : 190, 374-375, 379.
Kock (bacille de) : 101.

L

Lampe à infra-rouges : 349.
Ligament : 39-40, 42, 74, 81, 126.
  Commun antérieur : 40-41, 71.
  Commun postérieur : 40-41, 130, 133.
  Étiré : 114.
  Interépineux : 41, 70.
  Intertransversaire : 41.
  Jaune : 41, 70.
  Postérieur : 70.
  Surépineux : 41.
  Suspenseur : 53.
Lipides saturés : 98.
Liquide céphalo-rachidien : 366.
Literie : 216.
  À eau : 221.
  À l'hôtel : 226.
  À lattes : 221.
  À ressort : 219.
  Changement de position : 221.
  Matelas en laine : 220.
  Qualité de la : 213-214, 347.
Lombalgie : 54, 111, 116, 251, 267, 274,
  279, 294, 305, 312, 319, 322, 330, 339,
  342, 353-354, 373, 386.

  Chronique : 354.
  Diffuse : 342.
  Enfant : 167.
  Grossesse : 151, 153.
  Prévenir : 322.
  Rebelle : 318.
  Récalcitrante : 310, 336.
  Récidivante : 53, 372.
  Récurrente : 290.
Lombalisation
  S1 : 167.
Lombostat : 354.
Lordose : 58, 65, 274-275.
  Cervicale : 28, 58-60, 71.
  Lombaire : 13, 48, 58-60, 64, 71, 111,
  283.
Lumbago : 54, 134, 138, 144, 212, 223,
  228, 239, 243, 342, 347-348, 354-355,
  366, 372.
Luxation : 368.
  Congénitale de la hanche : 165, 186.

M

S

T

U

Ulcère de l'estomac : 362.

Ulcère gastro-duodénal : 362.
Urticaire : 362.

V

Varices : 241.
Vélo : 265.
Vertèbres : 12, 22, 24, 33, 38-39, 49, 60,
   62, 67-68, 72, 74, 96, 110, 124, 174, 177,
   191, 204, 209, 228, 243, 265, 270, 330,
   373, 388.
   Cervicales : 22, 26, 28-29, 48, 84, 136,
   182, 348, 356.
   Coccygiennes : 22.
   Correspondance avec organes : 84.
   De transition : 29, 36.
   Déformées : 185.
   Déplacements des : 68.
   Dorsales : 22, 29, 85, 111.
   Echaffaudage : 47.
   Empilement : 122, 185.
   Lombaires : 22, 31, 52-54, 87, 111, 127,
   132, 136, 240, 326, 354.
   Lombo-sacrées : 125, 231.

   Malmenées : 114.
   Morphologie : 26.
   Perturbation : 78.
   Sacrées : 22, 88, 136.
   Soudées : 100.
   Tassement : 110, 171, 236, 355.
Vertébrothérapie : 89.
Vertiges : 84.
Vitamines : 150, 172, 198.
   A : 174, 387.
   C : 387.
   D : 103, 105-107, 174, 367, 387.
   E : 387.
   P : 387.
Vitaminothérapie : 387.
Volonté : 43, 81-83, 137-138, 140.

Y

Yang : 380.

Yin : 380.
Yoga : 152, 277, 388-389.

Z

Zinc : 174.

Table des Matières

Table des Illustrations

imprimerie gagné ltée